XÁ-KU-NÓIS

Copyright © Clóvis de Barros Filho e Geraldo Trindade

Xá-ku-nóis
1ª edição: Abril 2022

Direitos reservados desta edição: CDG Edições e Publicações

O conteúdo desta obra é de total responsabilidade do autor e não reflete necessariamente a opinião da editora.

Autores:
Clóvis de Barros Filho e Geraldo Trindade

Preparação de texto:
João Paulo Putini

Revisão:
Vitor Donofrio (Paladra Serviços Editoriais)
e Leticia Teófilo (Tecendo Letras)

Projeto gráfico e capa:
Jéssica Wendy

DADOS INTERNACIONAIS DE CATALOGAÇÃO NA PUBLICAÇÃO (CIP)

Barros Filho, Clóvis de

    Xá-ku-nóis / Clóvis de Barros Filho ; Geraldo Trindade. – Porto Alegre : Citadel, 2021.
    288 p.

ISBN: 978-65-5047-108-8

1. Cooperativismo 2. Desenvolvimento pessoal I. Título II. Trindade, Geraldo

21-3349   CDD 334

Angélica Ilacqua - Bibliotecária - CRB-8/7057

contato@citadel.com.br
www.citadel.com.br

Clóvis de Barros Filho

Geraldo Trindade

XÁ-KU-NÓIS

Sobre cooperação, confiança e mudança

2022

Sumário

Prefácio   7

Capítulo 1 | Confiança é estrume   11

Capítulo 2 | Vingança a sangue fresco   23

Capítulo 3 | O outro chegou primeiro   32

Capítulo 4 | Orgasmos e enxaquecas   46

Capítulo 5 | Monja, Cortella, Karnal e Pompeu   55

Capítulo 6 | Nada ficou no lugar   69

Capítulo 7 | Galanteador, militante e equilibrado   81

Capítulo 8 | Sou mamífero, bípede e vertebrado   92

Capítulo 9 | O Mumu do Anatólio   107

Capítulo 10 | Condôminos e baladeiros   124

Capítulo 11 | Cada um na sua   139

Capítulo 12 | No princípio havia um princípio   158

Capítulo 13 | O jeito agora é o seguinte   173

Capítulo 14 | Se há confiança, então é cega   187

Capítulo 15 | Quimera que vale   201

Capítulo 16 | Remotas origens   212

Capítulo 17 | Por quem se toma esse infeliz?   228

Capítulo 18 | Tolerância zero	244
Capítulo 19 | Aqui tem um bando de loucos	263
Capítulo 20 | A alma é a consciência do corpo	275

Prefácio

Roberto Rodrigues

Embora o cooperativismo enquanto doutrina seja muito antigo – até porque o homem é um ser gregário –, as cooperativas só ganharam a dimensão que mereciam quando a Revolução Industrial produziu seus efeitos problemáticos em meados do século 19 na Europa.

Que efeitos foram esses? Exclusão social e concentração da renda. De fato, todos aqueles cidadãos e cidadãs, que produziam bens de consumo com seu próprio trabalho e mão de obra pessoal, perderam a capacidade de competir com a industrialização, com a sua escala e a mecanização dos processos produtivos. Teares e sapatarias manuais, padarias, docerias e licoreiras, costureiras e alfaiates, fazedores de móveis e consertadores de qualquer coisa, ficaram sem funções. Milhares de pessoas perderam seu ganha-pão e a condição de sobrevivência, sendo excluídos da sociedade organizada daquela época. E, na outra face desse mesmo processo, os investidores e proprietários das novas empresas industriais enriqueceram muito.

Os excluídos, alguns tecelões conhecedores da doutrina cooperativista, criaram, em Rochdale, na Inglaterra, uma primeira cooperativa, alcançaram a duras penas o reequilíbrio financeiro e foram reincluídos na sociedade local.

Daí em diante, cooperativas foram sendo criadas em toda a Europa e, mais tarde, atravessaram os oceanos até chegarem ao que são hoje, congregando mais de um bilhão de pessoas no mundo inteiro. Se cada cooperado tiver três dependentes, o número de seres humanos ligados à doutrina cooperativista – com seus princípios e valores universais – ultrapassa quatro bilhões, mais da metade da população da Terra.

Esse relato ligeiro mostra a essência da causalidade de cooperativas: a crise!

Ao longo da história inúmeras crises aconteceram, e em todas elas o cooperativismo floresceu e ganhou mais espaço. Mais recentemente, isso aconteceu após a queda do Muro de Berlim, a *perestroika*, a globalização da economia, todos fenômenos que trouxeram a exclusão social e a concentração da riqueza em seu bojo, e com isso ameaçando a própria democracia enquanto regime, e a paz enquanto supremo objetivo da humanidade.

Em alguns episódios críticos, como foi a grande crise financeira global dos anos 1980 – a célebre década perdida –, os bancos cooperativos cresceram muito mais do que os bancos comerciais privados em função de suas formas de gestão: o lucro não é o objetivo da empresa cooperativa, mas sim prestar serviços ao seu cooperado para que ele tenha melhoria social por meio das vantagens econômicas que esses serviços proporcionam.

Tal fato, marcante, se repete sempre que alguma crise se apresenta, e agora, ao ensejo da tragédia da pandemia, está acontecendo de novo.

Assim é que as cooperativas de saúde ganharam enorme destaque no combate ao coronavírus, as agropecuárias na missão da segurança alimentar, as de trabalho garantindo dignidade e empregos aos seus associados, as de crédito tendo enorme crescimento e assim por diante.

Por todas essas razões, é muito importante, é mesmo fundamental, que a doutrina seja ensinada e difundida ao máximo, para que cada vez mais pessoas, abrigadas por seu manto protetor, possam evoluir econômica, social e culturalmente.

Tal ambição, promover o cooperativismo, ganhou ainda maior importância com a revisão dos princípios realizada em 1995 em Manchester, Inglaterra, bem perto do berço da primeira cooperativa, Rochdale, quando, ainda sob os efeitos da queda do Muro, foi criado o sétimo princípio, o da "preocupação com a comunidade". Segundo esse princípio, as cooperativas modernas não devem se preocupar com somente servir aos seus associados, mas também aos cidadãos de todo o entorno.

Por tudo isso, igualmente, é extremamente importante que autores comprometidos com a doutrina se animem a produzir obras literárias como esta, destinadas a estimular pessoas das mais diversas atividades a criarem e a participarem de cooperativas. Com certeza o mundo será melhor.

Parabéns, então, aos autores Clóvis de Barros Filho e Geraldo Trindade. Estão contribuindo de forma positiva para a construção de um mundo melhor, que, afinal, é o sentido da vida de cada um de nós.

Coordenador do Centro de Agronegócio da FGV

CAPÍTULO 1

Confiança é estrume

Este primeiro capítulo é sobre desconfiança.

Melhor começar com os pés no chão. Afinal, vamos falar sobre cooperação. E sabemos bem quanto as virtudes morais são mal distribuídas entre os humanos desse planeta.

* * *

Quem coopera opera com mais alguém. Não cansaremos de repetir.

Só faz sentido cooperar na certeza de que alguma outra pessoa também o faça. E de modo adequado.

Um modo de obter essa certeza é pela verificação. Fica fácil quando essa pessoa opera na mesa ao lado. Mais difícil quando a cooperação exige distância entre os operadores.

Você talvez concorde com o que vamos propor agora. Quem já liderou grandes grupos, ou mesmo contingentes menores, sabe bem:

Ficar de olho o tempo todo no que a outra pessoa está fazendo não é muito produtivo. Afinal, é preciso, antes de tudo, implementar a própria operação. Por isso, ter que ficar vigiando desfoca, atrapalha, fragiliza, rouba eficiência, compromete a excelência. O controle acaba saindo caro.

Melhor seria, portanto, não precisar vigiar ninguém. Fazer o próprio trabalho e pronto. Disponibilizar para ele toda a atenção, energia e competência.

E ter certeza de que os demais estejam fazendo o mesmo, sem precisar de vigilância a cada segundo.

Eis a confiança. Trata-se de uma certeza sem verificação. Certeza sobre as coisas do mundo, claro. Mas também sobre o comportamento das outras pessoas.

* * *

Exemplos são sempre bem-vindos. Para trazer luz.

Confiamos, ainda em plena luz do dia, no pôr do sol que se seguirá. Certeza de que ele vai se pôr ainda hoje. Essa confiança é fácil. Afinal, desde que nascemos, o movimento de rotação da terra nunca falhou.

Mas podemos também confiar nas outras pessoas com as quais temos alguma relação. Confiar em suas condutas. Em suas atitudes. Para isso, precisamos ter certeza sobre seus modos de agir. Certeza de que farão sempre o que lhes cabe fazer. A mesma certeza que temos em relação ao nosso astro-rei.

* * *

Você, que está lendo com atenção, dá uma engasgada. Uma coisa é o movimento dos astros. Outra, bem diferente, é o comportamento das pessoas.

A sua experiência te ensinou que não é bem assim. Que, muitas vezes, embora esteja tudo combinado, quem se comprometeu rói a corda.

Vale lembrar que esse tipo de ruptura não é exclusividade dos outros. Cada um de nós se encontra do outro lado da corda, em face de alguém que também tem certezas e expectativas sobre nossa conduta.

* * *

Na hora de interagir com quem não conhecemos, alguma confiança de princípio tem que estar presente. Não faria sentido tomar por mentira tudo que a pessoa disser sobre si ao se apresentar.

Assim, tomamos por verdadeiro quando alguém afirma que se chama Manuel e trabalha entregando refeições em domicílio.

E você, lendo este livro desde a sua capa, não desconfiou de nossas informações curriculares, contidas nas suas orelhas.

Essa confiança de princípio se verá comprometida se nos dermos conta de que aquilo que tínhamos tomado por verdadeiro a respeito de alguém não é confirmado pelos fatos.

* * *

A conversão da confiança em desconfiança faz lembrar a vida de Heráclito. Mais precisamente do seu final.

Trágico final.

— Desculpa, mas não estou ligando o nome à pessoa. Na verdade, nunca soube que esse cidadão tivesse existido. Quanto mais o modo como morreu!

Juro que eu chego lá. Você vai ver que história incrível. E quanto ela tem a ver com o nosso tema da confiança.

* * *

Heráclito com H em português. Sem H, em italiano. Aliás, italianos têm algum problema com Hs. Nem Umberto Eco ganhou um.

Na época, os nomes das pessoas eram enunciados sempre junto a sua cidade de origem: no caso, Heráclito de Éfeso. Cidade localizada na atual Turquia. Na época, território grego. Por aqui teríamos Geraldo de Abaeté e Clóvis de Ribeirão.

Em suma. Heráclito, na sua época, era grego, mas hoje seria turco.

A frase que lhe concedeu eternidade, repetida à exaustão por quem gosta de verdades prontas e metáforas fáceis, você já deve ter ouvido por aí:

— Não te banharás duas vezes no mesmo rio.

* * *

É comum que palestrantes motivacionais, discorrendo sobre mudança – tema caro ao mundo do capital –, recorram amiúde a essa alegoria fluvial de Heráclito.

Fórmula tentadora, que remete, para muitas pessoas, a fluxos, correntezas e impermanência, destacando a urgência da inovação, da reinvenção, ante os problemas inéditos dos novos mundos.

Já para quem mora em São Paulo, como eu, Clóvis de Barros, paulistano de coração, o imaginário sobre rios faz pensar em estagnação, poluição e mau cheiro.

Nesse caso, a metáfora não alcança plenamente o efeito argumentativo pretendido. A não ser pelo fato de qualquer eventual banhista vir a óbito após o primeiro banho, inviabilizando, desse modo, o segundo.

Claro que o pobre Heráclito não podia – lá no seu tempo de cinco séculos antes de Cristo – sequer cogitar a possibili-

16 | XÁ-KU-NÓIS

dade de habitantes fazerem do rio da sua cidade uma lata de lixo e não se incomodarem com isso.

Mas, no caso de o rio ser rio e fluir com suas águas, o banho no mesmo rio fica inviabilizado porque a água suja já vai longe na correnteza.

Veio-me à mente neste instante – e como tem a ver, não posso perder a oportunidade – uma entrevista com o indianista Villas-Bôas. Ele destacou, com respeito e encantamento, o hábito dos aborígenes de sair do rio para fazer xixi. Questão de cultura.

Outros são os valores do "povo civilizado". Nos clubes, por exemplo. Com suas piscinas cheias de cloro.

Palestrantes mais sagazes – com agitação nos parlatórios corporativos – acrescentam, ao passar das águas, que o fluxo, na frase de Heráclito, não é coisa só do rio.

Porque qualquer banhista, no segundo banho, também é outra pessoa. Suja de outra sujeira. Suja envelhecida. Suja frustrada pelas ocorrências entre banhos. Mas um ser humano sujo alegrado pelo sol, que no mergulho anterior andava meio amuado.

* * *

Para Heráclito, como acabamos de ver, tudo era fluxo e mudança. Rios, banhistas, excrementos e qualquer outra realidade do mundo. E o pensamento é muito atrativo para quem busca sempre novas fatias de mercado.

Você bem que sabe: não se faz circular o capital em boa velocidade com geladeiras que duram vinte anos, televisores herdados de avós e aparelhos celulares sem tela!

Não se trata apenas de oferecer um produto que não existia antes. Mas de um jeito cada dia mais "facilitador" e ousado.

As empresas avançadas em e-commerce são um ótimo exemplo. Asseguram ter como propósito, em primeiro lugar, conhecer sua clientela a ponto de saber do que clientes precisam antes mesmo de que disso se deem conta; em segundo lugar, vender e entregar o produto dentro de casa sem que o pedido seja feito; e, finalmente, autorizar o débito no seu cartão de crédito sem a sua autorização.

E o principal: ter certeza da sua docilidade e plena satisfação com todas essas manobras.

* * *

Bem, falávamos de Heráclito.

Resta lembrar que, desde aquele tempo, o enfrentamento entre as escolas filosóficas e seus grandes nomes era feroz.

Os partidários de um e de outro se ofendiam sem clemência nas redes sociais da época.

— E que época era essa?

18 | XÁ-KU-NÓIS

Veja bem. Heráclito teria nascido em 535 a.C. Mais ou menos cem anos antes de Platão. E pouco mais de cinquenta antes de Sócrates. Só para situar.

Mas o que nos interessa aqui para ilustrar o tema da confiança não é o seu nascimento. E sim a sua morte. O modo curioso como a vida lhe escapou.

Eis a história. Servirá de aperitivo. Uma antessala inspiradora da cooperação.

Quem propõe a narrativa que segue, com graça e carisma inigualáveis, é o grande Matteo Saudino. Professor de Filosofia em Turim. E mega pop star da filosofia italiana na internet.

* * *

Era um dia quente do mês de julho do ano do seu passamento, 475 a.C. Heráclito despertou antes dos primeiros raios de sol. Lavou-se e penteou a barba. Vestiu túnica de cor azul-celeste. Seu desjejum foi rico em cereais, frutas e, sobretudo, mel.

Heráclito, como podem ver, se cuidava. Isso de pobreza e simplicidade radical era coisa de outras escolas de pensamento. Com ele, o mel era sagrado. Figos secos, tâmaras, e por aí vai.

Apesar disso, sentia-se alquebrado. Atormentado por enfermidade que lhe armazenava os líquidos nos espaços intersticiais – dando-lhe um peso que superava suas forças. Sentou-se meditabundo no quintal, com o corpo de quem não estava se aguentando.

Suspeitava ter contraído essa famigerada doença durante longo retiro em dieta rigorosa. Com ervas, plantas e nada mais.

* * *

Às 6h de ponteiros esticadinhos em reta, dois de seus mais chegados discípulos apareceram. Dando mostras de preocupação com o horário e garantindo ter tudo em mãos para a tarefa planejada do dia. Pás de jardinagem e óleos corporais perfumados. Antenor e Leandro. Assim se chamavam. Eram para lá de zelosos com o mestre.

Heráclito se levantou com custo. Sem dizer palavra, acenou com a cabeça, indicando que era hora de pôr-se em marcha.

A jornada se anunciava calorenta. Ideal para os propósitos do sábio de Éfeso. Não pretendia perder nem um só raio de sol.

Desconfiava dos médicos. Tomava-os por arrogantes e parlapatões. Acusava-os, já naquela época, de prescrever invasões e mutilações desnecessárias para fazer-se remunerar na sequência. Decidiu, assim, curar-se por conta própria.

* * *

No alto de uma colina bem exposta ao sol, pararam e beberam da água fresca levada em cantil.

Antenor e Leandro, munidos das pás, puseram-se a cavar uma cova de 2 metros de extensão por uns 50 centímetros de profundidade. O suficiente para que o mestre ali pudesse se alongar em conforto. Antes que se deitasse, os discípulos puseram palha macia para que Heráclito suportasse durante o maior tempo possível.

Os dedicados aprendizes ungiram o corpo do sábio com um óleo específico, para aumentar sua temperatura. Algum semelhante é vendido até hoje para reduzir o atrito de práticas íntimas com aquecimento localizado.

Uma vez deitado na fossa, os discípulos cobriram com cuidado toda a extensão de seu corpo e membros, com terra e areia. Deixando apenas a cabeça de fora. Heráclito pediu para que colocassem, por cima de tudo, estrume seco de cabra, o que aumentaria, e muito, a temperatura daquela autêntica fornalha de odor e aparência repugnantes.

**

— Cuidado com o rosto. Não chegue com a pá tão perto. Ponha com as mãos o resto do adubo em volta do pescoço.

Depois de todo o ritual de preparação do tratamento, Antenor e Leandro pediram licença ao mestre para buscar alimento. A manhã tinha sido exaustiva. Heráclito, em silêncio, aquiesceu com a cabeça.

Voltariam para buscá-lo "numa meia horinha". Auguraram um ótimo suadouro e repouso d'alma.

* * *

Apenas partiram, Heráclito, embalado pelo silêncio das cigarras, adormeceu.

Para despertar sobressaltado, muitas horas depois. Com o sol já posto.

Um casal de cães selvagens rosnava nas imediações. Eis o tenebroso ruído que o despertou. Heráclito seguia ali. Na mesmíssima posição. Só com a cabeça de fora. Impossibilitado de qualquer movimento.

Na escuridão da noite, não divisava nada além de penumbras. Para espantar os cães, restou-lhe gritar em desespero, chamando os discípulos. Tudo em vão. Sua voz desaparecia asfixiada, no clamor convertido em sussurro pela brisa leve, a metros dali.

Todo esforço físico não removia um nada da terra que o aprisionava.

— Teriam partido? – perguntou-se.

— Teriam se esquecido dele? Não. Não era possível.

— Teria sido traído? Possivelmente.

— Mas até por eles?

Os cães se aproximaram. Com suas bocas cheias d'água. Babentos e famintos. Devoraram o que puderam. A começar pelas partes moles da face.

Em alguns minutos, o filósofo já não reagia.

Isso mesmo. Heráclito. Sábio e negacionista. Que não confiou nos médicos. Tampouco na ciência do seu tempo.

Preferiu o apoio dos mais próximos. Dissimulados discípulos, candidatos a sucedê-lo. Herdeiros apressados. Assassinos mais que premeditados. Sedentos de sangue e glória. Frios, cruéis e sem escrúpulos.

* * *

Questão de confiança. E de desconfiança. De certezas e incertezas a respeito do mundo que não podemos verificar – ou verificar naquele preciso instante em que se confia.

Desde o pôr do sol no fim do dia até o comportamento de médicos e discípulos.

CAPÍTULO 2

Vingança a sangue fresco

O tema deste capítulo é a confiança.
E também a amizade.

Assuntos de relevância transbordante para quem trabalha com pessoas em espaços profissionais. Para quem se interessa pelos recursos propriamente humanos. E pelas condições mais adequadas de convivência para um coletivo eficaz.

* * *

Toda cooperação indica algum vínculo entre pessoas. Mas não qualquer. Um vínculo com exigências.

Antes de tudo, presume-se que esse vínculo deva prevalecer perante todo interesse particular que possa comprometê-lo.

Claro que essa prevalência também pode ocorrer na camaradagem de longa data, na parceria feliz entre os colegas ou mesmo na união circunstancial entre membros de grupos – no interior da organização – com objetivos os mais variados.

Mas o vínculo a que estamos nos referindo aqui faz pensar sobretudo no que os gregos chamavam de *philia*.

— Já ouvi falar nessa tal de *philia*. Mas não sei o que significa exatamente.

A usual tradução de *philia* por amizade é pouco esclarecedora e empobrece seu sentido. Talvez fosse melhor entender do que se trata sem tentar traduzir.

Um verdadeiro tratado sobre esse tema pode ser encontrado nos livros VIII e IX da obra *Ética a Nicômaco*, de Aristóteles. Mencionamos porque sempre há, em meio aos leitores, os que querem ir mais longe.

* * *

O ponto de partida aristotélico sobre *philia* nos interessa de perto:

A busca da verdade, que tanto importa aos filósofos, pode ser coisa de amigos.

Assim, por exemplo, numa roda de bate-papo entre mestres e discípulos, com muita *philia* entre eles, surgiu, em plena academia de Platão, a famosa teoria do mundo das ideias, com sua conhecidíssima alegoria da caverna.

De fato, parece-nos também que verdade e amizade podem caminhar juntas. E ambas nos dizem respeito. São valores de vida.

Aliás, se os leitores observarem bem, a própria palavra filosofia reúne *philia* e *sophia*. Essa última, por sua vez, implica busca da verdade.

* * *

No entanto, não há nenhuma necessidade nesse vínculo. O fato de verdade e amizade poderem estar juntas não exclui a possibilidade do caso contrário.

— Como assim? Não entendi.

Quero dizer que nem sempre relações entre amigos patrocinam a busca da verdade.

É bastante frequente, aliás, que, em nome de velhas amizades, minta-se, omita-se, acoberte-se um malfeito, façam-se vistas grossas, alivie-se a gravidade da consulta, retirem-se as arestas torpes em narrativas favoráveis.

Pois bem. Nesse ponto, Aristóteles é taxativo. Como de resto seria de se esperar. Em caso de conflito entre a busca da verdade e a proteção de uma relação de amizade, a primeira (a verdade) deve ter primazia perante a segunda (a amizade).

* * *

26 | XÁ-KU-NÓIS

A título de ilustração, destacamos a amizade entre Aristóteles e Platão. Estamos falando, é sempre bom lembrar, de dois dos três maiores pensadores do Ocidente.

Rafael, pintor renascentista, apresentou, em 1510, seu imenso trabalho, *Escola de Atenas*. Na tela, os dois pensadores ao centro, em meio a muitos outros, encontram-se lado a lado em plena conversa.

Suas posturas indicam o que lhes parece mais precioso em seus pensamentos. Platão aponta o dedo para o alto, sugerindo elevação ao suprassensível. Aristóteles, por sua vez, estende a mão para baixo, indicando seu grande interesse pelas coisas da terra, pelo mundo das coisas sensíveis.

A tela denuncia a tensão óbvia entre a *philia* do mestre por seu discípulo e a busca da verdade. Tensão sempre existente nas relações profissionais até os nossos dias.

* * *

Um pouco mais de *philia* para o nosso leitor. Nas histórias eternas dos mitos.

Orestes era filho de Agamêmnon e Clitemnestra. Um casal com nomes cheios de letras.

Eis que, numa tarde de outono, Clitemnestra, em parceria com seu amante Egisto, mata cruelmente seu marido Agamêmnon, o amado pai de Orestes. Repetimos os nomes para o leitor não se perder.

— Boa. Assim fica mais claro. A mulher matou o marido com a ajuda do amante. É bem isso que aconteceu, não?

Exatamente.

Uma vez ultimado o trágico ato, urdido em detalhe nos lençóis da alcova adúltera, Orestes é exilado para ser criado – de criação e não de criadagem – na corte do rei da Fócida. Todos esses nomes nos parecem estranhos. Mas são mencionados com frequência – em tom de obviedade – por aqueles que impressionam pela erudição quando tomam a palavra.

Apesar da pompa aparente, a trama é bem trivial. Prosaica mesmo. A mãe do menino Orestes matou o marido, pai do mesmo menino, em parceria com seu amante. E, na sequência, se livrou do filho. Mandando-o para a casa do, ops, do rei da Fócida.

Orestes era boa gente. E logo fez amizade com Pílades, filho do dono da casa. Esse tal de Pílades, ninguém diz, mas era príncipe da Fócida, claro.

Apesar da infância aparentemente recuperada, Orestes nunca esqueceu a brutalidade de que fora vítima seu pai, o grande Agamêmnon, herói da guerra de Troia.

Decidem, então, juntos, os amigos Orestes e Pílades, vingar a sua morte.

E assim se fez.

Mortos os amantes homicidas pelas mãos do próprio filho da vítima. Matricídio, portanto.

Sem me alongar, porque o essencial para nós já foi dito, observo apenas que, no final da narrativa, Orestes enlouquece. Como punição divina da vingança que empreendera.

* * *

E o que há em comum entre o procedimento adotado pelos amantes Clitemnestra e Egisto e a façanha dos discípulos de Heráclito apresentada no Capítulo 1?

O ganho pretendido pelos amantes e pelos discípulos só se realizaria na hipótese da morte de Agamêmnon e do filósofo.

Cabia-lhes, portanto, para alcançar a vantagem almejada, seguir rigoroso protocolo, asfixiando a pressa e controlando a ansiedade.

Na balança dos afetos, em ambos os casos, triunfa o Eros. A busca da riqueza e glória que ainda lhes faltavam.

Na balança correlata dos vícios e virtudes, a primazia da avidez e da crueldade em face da piedade, do respeito pelo mestre, da fidelidade ao marido.

* * *

Não há sobrevivência sem desconfiança. Estamos de acordo.

Porque na *cidade dos homens* um canalha à espreita se atocaia para o melhor bote. E alguma bala, perdida entre viventes apressados, encontra seu destino no peito de um desavisado.

Cidade dos homens. Onde também residem Antenor e Leandro. Atraindo cães selvagens com um pedaço de carne, no escuro da noite.

Mas também sabemos que não há vida em comum sem confiança. Certezas sobre o comportamento alheio sem verificação. Porque não podemos estar em todos os lugares ao mesmo tempo.

E mesmo que pudéssemos, não conseguiríamos flagrar o amanhã. Como verificar neste instante uma ocorrência que alcançará realidade num momento posterior?

E você, desconfiado por natureza, sugere:

— Espere pelo amanhã, então. Em algum momento ele acaba virando hoje. E aí então você verá direitinho com quem está lidando.

Pois é. Parece mesmo mais seguro.

Mas como agir para transformar o mundo – no único tempo em que todo agir é possível, isto é, na imediatidade do instante – se tivermos que esperar pelo amanhã? Como realizar um projeto? Como empreender? Como contratar alguém hoje para começar na semana que vem?

Nenhum amanhã, quando se torna hoje, oferece garantias sobre o seu dia sucessor.

* * *

E se você vier com a história de que confiança se constrói, que vai surgindo ao longo do tempo, então te perguntamos:

— Mas e antes desse "ao longo do tempo" acontecer? Como fica a relação com as pessoas?

Alguém chega dizendo que se chama Altevir, com formação em Administração de Empresas, tem experiência com almoxarifado, garante ser o perfeccionismo seu grande problema.

Altevir vira o anúncio no jornal e estaria muito a fim de cooperar porque precisa do trabalho e compartilha, com entusiasmo, os valores da organização.

Você, então, fiel às suas convicções e com desconfiança de tudo que diga respeito a pessoas, responde:

— Lamento. Como ainda não construímos uma relação de confiança, não acredito que se chame Altevir, tampouco no que informam seus diplomas e documentos, que, claro, podem ser todos falsos. Tomo também por mentirosos seu currículo, experiência de trabalho, necessidades, valores e intenções. Como ainda não construímos uma relação de confiança, não posso saber quem você é. Logo, não confio em você. Em nada do que diga ou apresente. O que impedirá que venhamos a ter algum tipo de relação. Como preciso dela para vir a confiar em você um dia, acho que não vai rolar. Desejo sorte. A porta de saída é logo ali. Por favor, mande entrar o próximo candidato para a vaga do almoxarifado.

Como você vê, foi preciso confiar um dia para vir a confiar algum dia.

Talvez por isso mesmo, muitos digam:

— Eu confio sempre, até que destruam minha confiança. Nesse caso, não há processo. Mas princípio. Anterior a qualquer experiência e válido para qualquer um.

* * *

Há também pessoas que definem sua confiança pela simples aparência. Ou pelo que sentem no calor da interação. Consideram mais importante a intuição.

E, de acordo com o que asseguram algumas delas, raramente se dão mal.

Bem. Cada um sabe de si. Bem como dos critérios que usa para julgar o que vê e o que ouve.

Cada pessoa tem maior ou menor consciência do modo como se deixar afetar por esse ou aquele tipo de estímulo causado por manifestações humanas.

E este capítulo chega ao seu final. Levando consigo esse pilar da cooperação. A confiança e o seu contrário.

CAPÍTULO 3

O outro chegou primeiro

O tema deste terceiro capítulo são os vínculos que se estabelecem entre as pessoas nos espaços profissionais.

O nosso foco de interesse, portanto, é o que acontece entre os indivíduos. Não basta aqui considerá-los na sua singularidade. Mas destacar o que os une. Por que vivem tão próximos uns dos outros. E por que cooperam.

* * *

O dicionário é quase sempre um bom amigo do espírito. Segue iluminando, mesmo onde acreditamos já haver alguma luz.

Por exemplo:

Operar. Exercer ação, função, atividade.

Cooperar. É tudo isso, só que com alguém mais.

Logo, toda cooperação implica a presença de mais de um elemento.

Tal como **colaborar**, quando o *labor* demanda quatro mãos ou mais; **coabitar**, quando residimos sob o mesmo teto; **conviver**, que indica relações de qualquer tipo entre duas ou mais pessoas.

E até mesmo **corromper**, rompimento ou ruptura da primazia do bem público, de valores coletivos, em proveito de interesses particulares incompatíveis com os primeiros. Se corrupção pudesse ser feita por um só, não poderia ser designada desse modo. Talvez não passasse de um neologismo como "rupção". Ou um tipo particular de simples ruptura.

Desse modo, cooperação é atividade que requer relação entre duas ou mais pessoas, com o propósito comum de agir sobre o mundo e transformá-lo. Para tanto, somam esforços, agregam competências, articulam funções específicas e tomam decisões em respeito a essa especificidade.

E, isso, tanto numa comunidade quanto numa sociedade.

* * *

Antes de seguir adiante, vale a iniciativa de propor alguma distinção entre esses dois conceitos.

— Eu já ia pedir esse esclarecimento. Sempre ouvi falar em "comunidade" e "sociedade", mas nunca soube a diferença. Adoraria saber qual é.

Em ambos os casos, há agrupamento de humanos. Com alguma organização e expectativa de perenidade. Não se confundem, portanto, nem comunidade nem sociedade, com um aglomerado episódico e de circunstância.

O que distingue comunidade de sociedade é a natureza do liame que liga as pessoas entre elas, definindo as fronteiras e conferindo estabilidade ao grupo.

No caso da comunidade, integrantes aceitam como evidentes e legítimas as relações inerentes ao pertencimento em função de uma realidade compartilhada que lhes preexistia. Assim, conta o fato de ocuparem o mesmo espaço antes ocupado por seus antepassados. Falarem o mesmo idioma. Contarem, de geração a geração, as mesmas narrativas históricas. Cultuarem as mesmas divindades. Venerarem as mesmas figuras heroicas. Celebrarem as mesmas datas festivas. Comungarem dos mesmos valores. Respeitarem os mesmos ritos. E tantas outras coisas comuns que já estavam lá quando os integrantes de hoje vieram ao mundo.

— Puxa. Faz todo sentido. De fato, há muitas razões para nos sentirmos integrantes de um grupo como esse. Entendi muito bem o que viver em comunidade quer dizer. Mas fica a pergunta: sobrou alguma coisa para a sociedade?

Claro que sim. Tanto que a palavra sociedade é tão presente quanto a palavra comunidade nas conversas do espaço público e nas produções eruditas.

— Pois é. Ainda assim, eu não vejo o que possa lhe dar fundamento. Se toda a realidade já existente une as pessoas em comunidade, fica difícil imaginar o que fundamenta a vida comum em sociedade. Veja. Se a comunidade se escora no que existe desde antes dos seus integrantes, o que fundamenta a sociedade só pode ser o que não existe ainda.

— Não entendi. O que poderia ser comum a muitas pessoas e não existe ainda? Isso parece uma daquela charadas...

O que confere fundamento para a vida em sociedade são planos, projetos, ideias, um futuro a construir, uma realidade a fazer advir, um mundo a parir.

Uma vida comum que ainda não é vivida pelas pessoas, a não ser enquanto sonho, devaneio, quimera, ou mais concretamente enquanto uma projeção para um amanhã em comum.

— Isso quer dizer que a vida em comunidade requer um pertencimento desde sempre. Talvez desde o nascimento. Porque tem a ver com coisas de cultura, arraigadas e muito estáveis. Em contrapartida, para integrar em sociedade basta ter disposição para pensar junto sobre o amanhã e definir projetos comuns.

Eu não conseguiria ser mais claro. Estou encantado com essa sua observação.

Acrescento apenas que, em agrupamentos humanos de carne e osso, e não nas abstrações dos conceitos, há sempre, juntos e misturados, vínculos comunitários e vínculos societários.

Não há, portanto, na realidade dos espaços de convivência, comunidades ou sociedades puras.

Porque todo grupo social conta com uma cultura e uma história e, ao mesmo tempo, com projetos comuns. Mesmo que seja o de conservar, tal e qual, tudo que já existe.

* * *

— Ficou claro. Agradeço pela explicação tão direta. Mas por que viver em sociedade é considerada por muitos a única solução de vida possível? Por que a convivência se impõe à vida? Por que não se cogita fazer tudo em solidão?

Bem. A razão primeira e mais fundamental é bem simples de entender.

A vida que vivemos neste mundo, essa nossa vida marcada pela finitude e por sobressaltos, é vivida com outros indivíduos. Na companhia deles e, também, em relação com eles.

Portanto, mais do que simplesmente lado a lado, a vida que vivemos é vivida em sociedade.

Para muitos, essa vida em sociedade resultaria da vontade manifesta de cada um de seus agentes. De uma decisão. Como se estabelecessem um acordo entre eles. Ou um contrato.

Do tipo, a partir de agora, nós aqui, fulano, sicrano, beltrano, muitos outros e eu passamos a viver juntos, a viver em relação, sob uma certa ordem econômica, segundo instâncias legítimas de governo, de legislação, de jurisdição etc.

Por se tratar de uma decisão assemelhada ao que acontece num contrato privado, essa tese é dita contratualista. A sociedade, nesse caso, surgiria porque todo mundo prefere viver socialmente.

* * *

Mas nem todo mundo pensa assim.

Muitos outros, cientistas do comportamento humano, dirão o contrário. Que a sociedade não poderia resultar de uma manifestação de vontade. Simplesmente porque quando cada um de nós nasce, ela já se encontra presente.

Nesse caso, a vida no seu seio se imporia.

Muito antes de poder ter consciência das vantagens e desvantagens de viver em sociedade, já vivemos nela de há muito. E muito mais do que essa simples anterioridade, pensamos, desde sempre, em função de instrumentos nela aprendidos.

Para esses teóricos, críticos do contratualismo, a vida em sociedade não resulta de uma manifestação de vontade ou de uma decisão.

Pelo contrário. Para eles, a nossa sociabilidade consistiria num traço da nossa própria natureza. Algo que nos seria inerente. Já nasceria conosco. E que, portanto, nos marcaria a todos. Todos os humanos. Em todos os tempos e espaços. Um traço imutável e universal, portanto.

Desse modo, teríamos que aceitar a ideia de que um indivíduo, bípede como nós, com aparência semelhante a nossa, mas que nunca tivesse vivido em sociedade – a literatura nos brinda com histórias de filhos de humanos cuidados por animais não humanos –, pois bem, esse indivíduo não poderia ser considerado um humano.

E, prestando reverência ao nosso tema central, na hipótese de uma natureza humana marcada pela sociabilidade, a própria cooperação seria inerente à vida de homens e mulheres. E não um querer circunstancial, uma opção entre outras, uma escolha, uma decisão ética ou uma veleidade existencial qualquer.

Um parêntese de esclarecimento. Venha comigo.

* * *

No final do século XIX, um grande cientista e pensador afirmou:

— A sociedade é lógica e cronologicamente anterior ao indivíduo.

A frase é de Durkheim. Francês e pai fundador da sociologia.

Ele se interessava por identificar o vínculo ou o liame que nos leva a viver uns próximos dos outros, com os outros, em relação com os outros. Dizendo de outro modo, ele queria saber o que em nós nos levava a essa aproximação, a essa vida compartilhada, a essa reunião permanente.

Acreditamos que essa investigação pode ser de grande interesse para quem quer ir a fundo no fenômeno da cooperação. Durkheim sugeria haver dois tipos de laços sociais. No fundo, são duas razões bem diferentes que explicariam esse grude, esse ímã, que nos constrange a estar sempre perto de outros. Ele os chamou de solidariedade mecânica e solidariedade orgânica.

Nas sociedades do passado e do presente, podemos dizer que esses dois tipos de laço social se combinam, com ênfase para um ou outro em função da época e do lugar.

Assim, a solidariedade mecânica seria dominante em sociedades mais rudimentares ou primitivas, enquanto que a solidariedade orgânica, em sociedades mais complexas, como são as nossas, no chamado mundo ocidental.

Em que consistem esses laços? O que exatamente aproxima as pessoas em cada um dos casos?

Nesse caso, da solidariedade mecânica, as pessoas ficam juntas por desempenharem atividades muito parecidas ou francamente idênticas. Vivem com os demais, compartilhando recursos e dividindo custos.

Ilustram essa solidariedade um tipo rudimentar de exploração extrativista, de produção agrícola ou mesmo artesanal, em que o mesmo indivíduo realiza todos os procedimentos da origem ao produto final.

Em sociedades nas quais prevalece esse tipo de solidariedade, encontram-se muitos, reunidos, fazendo todos exatamente o mesmo, sendo que cada um realiza individualmente todas as etapas do processo.

No segundo caso, o da solidariedade orgânica, o laço que anima a convivência advém da complementaridade funcional na implementação das atividades.

A cooperação inscrita num espaço regido pela solidariedade mecânica tem uma natureza muito diferente de outra, inscrita num espaço com certa organicidade.

Uma coisa é simplesmente justapor e somar valores preexistentes. Outra, muito diferente, é alcançar uma unidade de valor que só surge na articulação funcional das peças em funcionamento.

Assim, reunir a produção de leite de pequenos produtores, que fazem todos a mesma coisa em suas microunidades produtivas, não se confunde com pôr a trabalhar junto gente que só se dedica a pesquisar a alimentação mais adequada do gado leiteiro, gente especializada em identificar o modo mais adequado de colher o leite segundo as características do referido gado e as condições da coleta, gente que investiga o modo mais seguro de armazenar o leite, gente especializada em embalar esse mesmo leite, gente que estuda o modo e o momento mais adequado de vendê-lo para proteger seu valor nos mercados nacional e internacional, gente especializada no transporte, gente que faz chegar até o consumidor final.

Como é fácil perceber, nenhuma dessas atividades teria valor se desgarrada das demais. Tal como não teria um intestino separado no resto do aparelho digestivo.

* * *

Mas voltemos à tese inicial. A da anterioridade da sociedade em relação aos indivíduos. Estamos cientes de que ela pode despertar inquietação junto ao leitor.

— Claro que sim! E põe inquietação nisso! Afinal, se a sociedade é constituída por indivíduos, como é possível que lhes seja anterior? Como pode a reunião vir antes dos elementos que se reúnem? Por acaso há que cogitar um cardume sem peixes que o constituam um a um em reunião?

Bem. Comecemos pela sua própria experiência.

* * *

Suponhamos que tenha nascido no interior do Paraná. Foz do Iguaçu, como uma grande amiga, talentosíssima jogadora de voleibol. Na principal maternidade da cidade. Filho ou filha de gente dali. Com nome, sobrenome, endereço, profissão, cultura, idioma e tudo mais.

Na maternidade, foi visitado pelos parentes e amigos. Que o bombardearam com expressões de encantamento. Todas elas em português, com sotaque local.

Um jeito todo nosso de demonstrar afeto. Fosse em São Petersburgo ou em Luanda, seria diferente. Apenas diferente. Afinal, russos e angolanos também amam muito seus filhos. A família toda reside em Toledo, outra pujante cidade do oeste paranaense. E torce pelo Palmeiras. A geração anterior – que já se foi – também era alviverde. Há fotos de Dudu e Ademir no escritório. Um tio levou de presente um uniforme para o miúdo.

As tias viram semelhanças. Ditas fenotípicas. Termo bonito que aprendi no Ensino Médio. Mais tarde, no curso de Filosofia, aprendi também que fenômeno é o modo pelo qual o mundo se apresenta aos nossos sentidos. Coisa de aparência mesmo. Daí as tais semelhanças fenotípicas. Não só com os genitores. Mas também com gente que nem existe mais.

A testa é da vó Geralda. Isso ninguém tira. Já o queixo é do Roni. Aquela covinha era marca registrada. Reparou no olhar do pai, na hora em que ele virou o rostinho?

Um amigo da família, mais afeito ao civismo, já foi logo dizendo:

— Esse será um grande paranaense e um grande brasileiro.

Da maternidade para a casa, com um quarto já preparado. E as cores autorizadas pelo gênero. Como convém. Afinal...

— Homem é homem. E mulher é mulher. – Palavras ditas com firmeza pelo pai.

Eis que, ao ser apresentado ao seu quarto, ainda de dentro do carrinho, você descobre que não reinará absoluto. Um outro já mora ali. Tipo uma criança pequena. Como você. Um pouco maior, é verdade. O que não facilita as coisas. Um irmão. Ou irmã. Com nome próprio e cara de poucos amigos. Olhando de canto de olho para você, recém-chegado.

Sendo mais velho, assumirá postura de liderança, com conhecimento antecipado das coisas do mundo e lúcida superioridade. Por isso, raramente entrará em conflito. Distinguindo bem o que são as coisas de bebê das outras, de criança crescida e madura.

Uma senhora mais velha, que não é da família mas muito carinhosa com você, prepara a comida para todos. Isso, todos os dias. Com jeito bonachão, de riso aberto e coração grande, transbordando ternura. Nenhum traço de enfado, aborrecimento ou desagrado em seus afazeres.

Nela você sentiu aconchego e acolhimento. O colo da Isaura. A sensação mais próxima do útero que você teve desde que começou a chorar.

Pois bem, queridos leitores.

Manifestamente, no dia anterior a sua chegada, todas essas pessoas já estavam aí, já ocupavam esse lugar, já eram reconhecidas pelos demais, dispunham de uma identidade; já se relacionavam, gozando de estatuto, umas em relação às outras.

Desse modo, para haver pais, há filhos; o marido, para sê-lo, requer esposa e vice-versa; tia e tio, só com sobrinhos etc. Uns só são pelos outros. Por conta de suas existências. E toda essa realidade social já corria solta no dia anterior. Antes de você. E sem você.

44 | XÁ-KU-NÓIS

* * *

Essa anterioridade do mundo dos outros homens em relação a cada um de nós salta ululante, quer dizer, surge cristalina na nossa cara ou grita nos nossos ouvidos, quando refletimos sobre o tempo.

Desde Santo Agostinho e o livro XI das suas *Confissões*, costumamos considerá-lo de dois modos:

O tempo dos relógios, que podemos dividir em anos, meses, semanas, dias e horas. Esse é o que é. No movimento inapelável dos ponteiros. Na oscilação do pêndulo. No folhear do calendário.

Mas, além desse, há o tempo das almas. Que estica e encolhe, dura e voa, avança e recua.

Um amigo no hospital reclamava da brevidade da vida.

Terminada a visita, voltei no metrô ponderando sobre a questão. E formando convicção contrária à dele.

Como vai longe o tempo mágico da escola, dos amigos de lá, dos romances lidos e vividos e das aulas de história. Desde então, é ladeira abaixo, em descida que parece não ter fim. E olha que eu, Clóvis de Barros, acabei de completar 56. Ainda pode restar muita coisa.

Entre mim e o amigo internado, o que há são perspectivas opostas. Advindas de sensações muito diferentes. Os tempos da alma, no meu caso e no dele, aceleram e lenteiam, segundo as situações e os afetos nelas urdidos.

Para mim, uma sequência interminável de paixões tristes. Para ele, suponho, uma disputa renhida, ou uma gangorra mais comportada, entre alegrias pelos mundos percebidos e esperanças pelos simplesmente imaginados.

A nossa discordância não parece residir no tempo da vida. Mas no modo como a vivemos. No ritmo dos encontros. No fluxo das experiências.

Essa cadência da vida só é espontânea e autônoma enquanto comandamos, na primeira infância, pelo grito, pelo choro ou pelo charme da fragilidade. Para pouco a pouco passar a ser definida por vontades outras que não a nossa.

Afinal, a civilização já estava aí quando nela fomos paridos. O que lhe confere primazia. Direitos adquiridos. Melhor se adaptar aos seus contornos e angulações. Sob pena de alguns empurrões, beliscões, pescoções e prisões. No Fundamental aprenderemos que dois corpos não ocupam o mesmo lugar. Ainda mais nesse espaço cheio de gente grande e já bem estabelecida.

O militar comanda, ditando o ritmo da marcha pelo som do apito. A escola, pelas sirenes de entrada, saída e intervalos. E as empresas, mesmo as mais atualizadas – dessas que deixam trabalhar em casa, com tempos para o ócio criativo –, cadenciam as atividades pelo bumbo das metas, dos resultados, do lucro, em suma.

CAPÍTULO 4

Orgasmos e enxaquecas

Este capítulo é sobre harmonia.

Cuja ausência, no interior das organizações, agride o fígado e amarga a boca de gestores e responsáveis por pessoas em geral.

***

Alguns temas são abordados com maior clareza pela análise do seu contrário, ou pela sua falta. Harmonia parece ser um deles. Em especial, quando o que temos em mente é a harmonia entre pessoas em uma atividade coletiva.

Não é só com o tema da harmonia que esse fenômeno da clareza pela ausência se produz.

Sá e Guarabyra sugerem o mesmo ao definir harmonia, em linda canção dedicada ao tema, pela sua falta ou raridade:

Que desejo tão fácil de se ter

Que presente difícil de ganhar

Mas é sina do homem procurar

Harmonia

Ocorre-me bonita fórmula do professor Sponville. A assimetria entre o bem e o mal. Para cada segundo de orgasmo, serão horas de enxaqueca. E meses de depressão.

Para ir ainda mais longe. O bem, esse parece difuso e impreciso, talvez discutível. Já o mal, que para muitos não é nada mais do que a falta de bem, esse é bem mais claro e fácil de identificar. Portanto, menos discutível.

* * *

Sendo assim, um exemplo de desarmonia pode nos servir de aperitivo.

Podemos imaginar um espaço de relações entre humanos. Nessas relações, há ações, claro, e suas consequências afetivas.

Como, por exemplo, quando um indivíduo (A) – o agente – diz algo que não agradou ao seu interlocutor – o indivíduo B. Nesse caso, o discurso de A desperta em B uma paixão triste. Como o medo ou a ira.

Para conferir um pouco de recheio e particularidade a essa estrutura genérica de agentes, ações, interlocutores e afetos, consideremos um caso imaginado por nós.

O senhor Elias – chefe da contabilidade da editora – teria espalhado, em reunião festiva de final de ano, que o Gomes

48 | XÁ-KU-NÓIS

– chefe do editorial – fora rejeitado por Carol – editora recém-contratada – porque, quando das primeiras intimidades, ter-lhe-iam faltado verticalidade e rigidez.

Os termos usados por Elias, você deve imaginar, não foram bem esses. Não faltaram vulgaridade e rebaixamento.

Muito bem. Até aqui estamos juntos.

Eis que o Gomes, o editor ofendido por Elias, cheio de tristeza, com a potência duplamente apequenada, pelo encontro íntimo malogrado e pelo discurso do colega, identifica imediatamente a causa daquele afeto apequenador: o que Elias dissera sobre ele. Para quem quisesse ouvir.

Mas ele (Gomes) não parou por aí. Após identificar aquele discurso como causa da sua devastação, ele estendeu à pessoa do enunciador (Elias) essa causa. Ao titular da agressão.

— Se eu estou triste é por causa desse cara, do que ele andou dizendo a meu respeito.

Gomes, então, intui que se sentirá melhor se também for causa de alguma tristeza em Elias. E parte para a desforra, a fim de dar o troco. Passa a agir com o propósito de entristecer seu difamador.

Apequenar-lhe a potência permitirá, ele supõe, algum resgate da própria.

Como é óbvio, a multiplicação de iniciativas como as de Elias e de Gomes – num espaço de relações profissionais – comprometeria gravemente a eficiência e os resultados do grupo.

* * *

Harmonia e desarmonia não são exclusividade das relações entre pessoas.

Pensemos numa máquina. Um motor, por exemplo. De um eletrodoméstico ou mesmo de um carro. Essa máquina é constituída por várias peças. São partes que constituem o todo do motor. Cada uma delas integra a máquina por alguma razão.

Nenhum engenheiro mecânico que honra a profissão se daria ao luxo de encher a sua máquina de peças que nada tivessem a ver com o bom funcionamento do todo. Portanto, tudo que está ali precisa estar ali para que o todo funcione.

Dizendo de outro modo.

Numa máquina qualquer, se uma de suas peças estiver ausente ou em funcionamento inadequado, ela não conseguirá funcionar bem e, portanto, não realizará a tarefa a que se destina. Na máquina, nada está à toa, ou sem função.

No ajuste fino, cada peça é ajustada com zelo para que seus movimentos estejam perfeitamente adequados a cada uma das outras peças, permitindo assim que essas também funcionem adequadamente. O mau funcionamento de uma delas compromete o bom funcionamento das demais.

* * *

Tudo que propusemos até aqui a respeito da máquina pode ser retomado na análise de organismos vivos. Tomemos como exemplo a digestão.

O alimento é ingerido. Seu processo digestório começa na boca. Nela os alimentos são mastigados. O contato com a saliva facilitará a passagem pelo tubo digestivo. Várias enzimas se fazem presentes, como a amilase salivar, responsável por quebrar o amido.

Com a ação dos dentes, da língua e da saliva, o alimento se converte numa pasta denominada bolo alimentar. Formado na boca, ele é impulsionado na direção da faringe e, na sequência, do esôfago.

Neste, o bolo alimentar é conduzido, por movimentos peristálticos, ao estômago. O processo todo que leva o bolo alimentar da boca ao estômago recebe o nome de deglutição.

No estômago, o bolo alimentar é abordado pelo chamado suco gástrico. Este é constituído por substâncias secretadas pelas células da parede do próprio estômago. Como a pepsina, que quebra proteínas em peptídeos.

O resultado final de todas essas intervenções sobre o alimento ingerido se encaminha para o intestino, que concluirá a digestão ultimando a excreção do que não será aproveitado.

Para que o alimento se convertesse em fezes, foram muitos os elementos a tomar parte no processo. Constitutivos de um verdadeiro sistema, dito digestório. Com os *inputs* e *outputs* já mencionados, mas também mecanismos de seleção, *gatekeeper*, bem como uma complexa caixa, não tão preta assim, na qual o mais essencial desse processo de digestão realmente acontece.

Se algum desses elementos não intervir adequadamente, poderá comprometer a intervenção de todos os demais. Podemos falar aqui em harmonia entre essas diversas intervenções. Tal como no caso da máquina citado inicialmente.

* * *

Bem, até aqui apresentamos três cenários em que a ideia de harmonia costuma ser ventilada. Relações entre pessoas numa organização, entre peças de uma máquina e entre partes de algum sistema de um organismo vivo.

Quem sabe esses casos nos permitam sugerir algumas considerações conceituais sobre harmonia. Isto é, traços de definição que se verifiquem necessariamente nesses e em quaisquer outros cenários em que haja alguma relação harmônica.

Há harmonia quando verificamos algum tipo de acordo entre vários elementos. Acordo entre suas existências concretas no mundo. E não somente entre as ideias perfeitas que lhes servem de correspondência em mundos inteligíveis.

Um acordo positivo em valor. Positividade essa decorrente de alguma funcionalidade na interação entre os elementos ditos harmônicos.

Harmonia pressupõe mais de um elemento. Não há que pensar em harmonia de si consigo mesmo. A não ser que estejamos considerando duas ou mais partes de si, harmônicas entre si. Como cantam lindamente Sá e Guarabyra, na já citada canção:

Harmonia é ver o sol nascer
Com o brilho da lua ainda lá.

Pressupõe também simultaneidade. Isto é, a existência dos elementos tidos como harmônicos deve se dar no mesmo tempo. Não há, portanto, harmonia entre elementos existentes em instantes sucessivos.

Alguns novos exemplos podem surgir dessas considerações: Harmonia de sons, numa sinfônica. Funcionalidade, simultaneidade, positividade de valor, com prazer proporcionado aos ouvintes. Sons simultâneos que agradam ao serem ouvidos.

Harmonia de cores, numa tela, ou na decoração de interiores. Da mesma forma, pensa-se numa concomitância funcional. Uma cor justaposta à outra, junto da outra. Observadas ao mesmo tempo. Que agradam ao serem vistas desse modo.

Harmonia de sabores num prato requintado. Ou mesmo num prato mais simples, de culinária regional, bem ao gosto dos autores deste livro. Ingredientes, simultaneidade, concomitância, agradáveis de serem degustados juntos.

Essa simultaneidade entre os elementos em harmonia nos faz pensar nos exemplos que abriram este capítulo. Quando falamos dos conflitos entre pessoas, das peças da máquina e da digestão dos alimentos, poderíamos ser levados a considerar uma harmonia entre elementos de existência funcional não simultânea, mas sequenciada.

Como o intestino atuando após o estômago, os fluxos de processos no interior das organizações, percorrendo em sequência diversas de suas instâncias, e as engenhocas com suas partes postas em marcha também umas em sequência das outras. Como no caso de uma eclusa, que só fecha um compartimento quando o seguinte se abre.

Pois muito bem. Nada impede que haja poderosas relações funcionais entre elementos sucessivos. Que dão o ar da sua graça, cada um no seu momento. No entanto, não é disso que estamos falando nestas páginas. Porque a harmonia, insistimos, requer simultaneidade.

Isto é, no caso da digestão, enquanto a boca realiza a mastigação, o esôfago conduz o alimento ao estômago, que simultaneamente avança na digestão do bolo alimentar e dá sinal ao intestino para dar início ao seu peristaltismo, bem como a absorção que lhe compete levar a cabo. Tudo junto. Tudo ao mesmo tempo. Harmonicamente.

Um exemplo mais do que clássico de harmonia na história do pensamento confere tintas de profundidade e beleza à relação entre o corpo e a alma de seres humanos. Mas essa relação escapa e muito ao escopo de um livro que tem por objeto central uma forma particular de relação entre pessoas.

***

O interesse pela harmonia por parte de grandes pensadores – entre os quais, como é óbvio, não nos incluímos nem a título de chacota – não é de hoje, nem de ontem. Desde que o homem pensa a respeito da natureza e da sua própria natureza, esse tema encontra-se presente e com grande ênfase.

Mesmo antes da filosofia – quando humanos pensavam sobre as coisas do mundo e sobre a própria presença na sua superfície por intermédio de relatos que contavam com a participação saborosa de grandes deuses, heróis, ninfas, monstros e outros seres impactantes –, a preocupação com a harmonia se fazia mais do que presente.

Por exemplo, com as imagens de Caos e Cosmos, sobre as quais propomos, no capítulo que segue, alguns parágrafos que, supomos, possam aliviar, com suas imagens fantásticas, suas alegorias e peripécias inverossímeis, o peso das abstrações conceituais das páginas anteriores.

Sendo assim, com a sua licença.

CAPÍTULO 5

Monja, Cortella, Karnal e Pompeu

O tema deste capítulo é a excelência. Mas prometemos partir da harmonia e do cosmos. E promessa, sendo dívida, deve ser honrada.

* * *

O capítulo anterior antecipava relatos míticos. E a antiguidade da reflexão sobre a harmonia. Seguimos daí, portanto.

Os deuses com mais cara de humanos botaram ordem na casa. Seus antepassados viviam no caos.

Interessante esse jeito de contar a origem das coisas.

Antes de Zeus, muitos dos deuses eram só natureza. Como o Caos, o primeiro deles. Que já existia quando ainda não havia nada. Nem Gaia, a Terra. Nem Urano, o Céu. E tampouco havia ordem no universo.

Até que, com astúcia e força, Zeus impõe espetacular derrota a seus tios. Os Titãs.

A partir desse instante, surgiu o Cosmos. Uma ordem. Uma grande ordem.

Na verdade, Zeus pôs tudo em ordem. O todo em ordem.

— Em que consistia concretamente essa ordem?

Numa divisão justa entre todos os que estiveram do seu lado na guerra. E tivessem concordado com o próprio quinhão proposto por Zeus. Estivessem, assim, de boa, no seu quadrado.

Zeus, desse modo, realizou a grande divisão, entregando a cada um deles o que lhe cabia. O que lhe era devido.

Graças a essa divisão, conseguiu manter-se vitorioso. As forças do Caos, adversárias de Zeus, por serem deuses, nunca estariam definitivamente aniquiladas.

Deuses, como sabemos, não morrem. Nunca.

O Cosmos era entendido pelos antigos como divino e lógico (ou racional). Divino porque foi Zeus (um deus) que o concebeu e o executou. Racional porque compreensível pela razão.

Como se fosse um grande organismo vivo. Ou uma grande máquina. Finita e ordenada.

* * *

— Mas e nós com isso?

Ora. É nessa grande ordem que nos instalamos como mortais. A nossa vida finita se inscreve nesse Cosmos. Integramos a ordem – antes de mais nada – pelo fato de só vivermos durante certo tempo. Pela sucessão das nossas gerações. Nós, os outros animais e as plantas também.

— Isso quer dizer que aqueles que não se conformam com morrer estão blasfemando contra o Cosmos?

Exatamente. É a temática central de muitos relatos míticos. A primeira grande história de que temos notícia é sobre a vida de Gilgamesh. O rei que não queria morrer. Sentiu a dor dilacerante da perda de seu amigo Nquidú. E moveu céus e terras atrás de algo que lhe blindasse da morte. No final, acabou entendendo que não tinha jeito.

Na Odisseia, Ulisses rejeitou a tentadora proposta de Calipso para que ficasse com ela. A vida eterna e a juventude.

A lição que desde os tempos homéricos a sabedoria do homem nos deixa em legado é a de que quanto melhor lidarmos com a nossa finitude, mais integrados estaremos na grande ordem.

* * *

— E além da morte? O que esse Cosmos tem a ver conosco?

Nossa! Tudo a ver. Será, durante séculos, a principal referência para uma vida boa.

— Mas como assim, referência para uma vida boa? O que tem a ver a minha felicidade com essa engenhoca toda?

Ora. Não sei você. Mas tem muita gente que não sabe o que fazer da vida.

— Sim, eu entendo. Só não sei em que o Cosmos poderia ajudar essas pessoas.

Alguns vislumbram muitos caminhos e não conseguem se decidir. Outros não vislumbram nenhum. E não têm como se decidir.

Pois bem. O Cosmos, para os antigos, era um verdadeiro indicador de como a vida deveria ser vivida. Qual a melhor das vidas dentre todas que passam pela cabeça.

* * *

— E de onde vem essa resposta?

Essa maneira cósmica de pensar (o mundo e a vida de cada um) parte de algumas certezas.

Primeira certeza: existe um lugar certo, adequado, para cada um dos integrantes do universo. Sendo assim, viver bem implica ocupar esse lugar. Assim, os animais têm o seu habitat. O vento venta na direção certa. A maré mareia no ponto certo. A chuva chove onde tem que chover etc.

Cada um de nós – seguindo essa forma de pensar – também teria um lugar. Adequado a nossa natureza. Um lugar que nos é natural, portanto. Onde a vida fluiria melhor. Tudo rolaria mais redondo. A vida seria mais fluida.

Tipo o comando do ataque com a 9 para Romário. Uma pena em descrições realistas do Paraíso para Eça. Um piano em retalhos para Benito de Paula. Uma inovação pedagógica animada para Daniel Castanho. Um templo de mãos em prece para a Monja. Um auditório para Cortella ou Karnal. Uma sala de aula em ética para Julio Pompeu.

Segunda certeza: além de um lugar certo, tudo tem uma finalidade. Uma função. E por isso existe e integra essa ordem. Assim, o papel do vento, da chuva, da vaca, do pulmão, das tripas e de todo o resto é o que justifica sua presença no Cosmos.

No nosso caso, o perfeito ajuste a essa ordem implica viver honrando essa nossa finalidade. Somos, portanto, úteis para o universo. E só assim alcançaremos a felicidade. Essa, sim, absolutamente inútil. Por se tratar do bem supremo. Em função do qual toda a cadeia de funcionalidades se perfila.

O passo a passo da vida é útil para o Cosmos. O manual de instrução da vida boa é dado pelo pertencimento. Não há sentido nem valor para a vida no isolamento, na individualidade. Já a felicidade alcançada com isso, essa é nossa. Essa não está a serviço de nada. Essa é simplesmente o máximo.

Terceira certeza: além do lugar certo e da finalidade, tudo que existe dispõe perfeitamente dos atributos para cumprir esse papel, essa função. Assim, o intestino é maravilhosamente disposto para evacuar. As veias e artérias, para conduzir o sangue. O rio, para irrigar. E os olhos, para enxergar.

60 | XÁ-KU-NÓIS

O nosso caso não diverge nem discrepa. Somos perfeitos de natureza para cumprir esse nosso papel cósmico. Para saber qual é, o caminho é conhecer-se.

Daí a insistência. Conhece-te a ti mesmo. Frase que lembra Sócrates. Que faz pensar no oráculo. Que deu início a todo esse nosso jeito ocidental de pensar a vida.

* * *

Quarta certeza: além do lugar certo, da finalidade, da disposição perfeita de atributos, o próprio universo ordenado, o Cosmos, tem um funcionamento próprio. E é dotado de uma inteligência. Inteligência cósmica. Inteligência divina.

Esse funcionamento, não podemos conhecê-lo completamente. Porque não somos Deus. Somos só parte. Participantes.

Assim, da mesma maneira que os ponteiros de um relógio não conseguem ver as horas, nós, integrantes dessa máquina universal, não compreendemos tudo do todo em que estamos inseridos.

* * *

Todas essas certezas dos antigos são inspiradoras. A luz e a beleza das ideias faz pouco da nossa pobre e opaca concordância.

E, quando um fiapo de inspiração atravessa, traz consigo sempre alguma lembrança literária.

Uma vez pediram a um poeta famoso que definisse o Arpoador. Aquele lugar dentro da Guanabara em que quase todos desejam viver.

É possível que um pensamento limitado de alcance entregue-se muito facilmente à ilusão de definir seu objeto com perfeita clareza. Alguns poetas, na sua intuição, aderem talvez à ilusão das formas acabadas, imaginando que tudo possa caber nos seus meios expressivos. Mas quando se aguça o pensamento, aí as coisas se revelam em sua complexidade.

Disse o poeta:

— No Arpoador, há os namorados, que querem dar a seu namoro moldura atlântica, céu e onda por testemunhas. Julgam-se merecedores de acompanhamento sinfônico-paisagístico, e não percebem que o Arpoador, áspero e depurado na sua condição de rocha, está acima e além dos namorados.

E os que procuram estar sós, roídos de dor moral ou desgosto de superfície, os que fazem do Arpoador berço para minar a sua angústia?

— Bem, o Arpoador é dos reinos mais povoados e movimentados do universo: espaço, luz e forma estão ali em contínua diversificação, criando-se e recriando-se com mobilidade de arquitetura aérea. É solidão, sim, mas diferente do comum estar só com nossas pobrezas e limitações.

Há também o que vai para se entregar. O que não pede poesia, nem consolo, e absorve o Arpoador em sua infinitude, apenas com o se deixar levar e absorver na ordem maior.

Que bela alegoria!

* * *

Quinta certeza: eis o ponto que mais nos interessa. O bom funcionamento do Cosmos depende de uma perfeita integração das partes que o constituem. Assim, não se trata de cada um por si.

O bom desempenho de um de seus integrantes se dá na justa imbricação com os demais integrantes alocados.

Dessa forma, a harmonia cósmica é integrada, participativa e dinâmica.

Distinta, portanto, de um quebra-cabeça, cujas partes se interpenetram em função de protuberâncias e invaginações estáticas.

* * *

Sexta certeza: tudo tem a ver com tudo. De modo que todas as partes são solidárias. Corresponsáveis pelo bom funcionamento do todo. Uma responsabilidade do tamanho do universo. Definida numa ética propriamente cósmica.

Uma vida fracassada, mal vivida, em desarmonia, compromete o universo inteiro. Atenta contra a sua ordem.

Eis porque o pensamento cosmológico antigo é considerado por muitos como holista. Termo que vem do grego *holos*, que quer dizer todo. Toda ação produz efeitos, que por sua vez produzem outros efeitos e assim por diante. Numa cadeia sem-fim. Pela eternidade.

* * *

Sétima certeza: quando habitualmente tiramos dos nossos recursos naturais o máximo (ou perto do máximo) de perfeição que eles podem nos permitir alcançar – integrando-nos harmoniosamente com o todo –, diziam os antigos que vivíamos em *arethé*.

Essa vida em *arethé* é a atualização de virtudes. Batizada por nós pela tradução de "excelência".

* * *

Reproduzo, a propósito, uma história que alguém me contou. Uma dessas fábulas inscritas na eternidade pelas mãos de um grande escritor.

O moço de coração simples estava à beira da estrada, vendo passarinho voar. Passou o destino, bateu-lhe no ombro e disse:

— Vai brincar.

— Eu estou brincando – respondeu o rapaz.

— Vai brincar com os pés e com as pernas, pois para isso nasceste.

O jovem foi para a cidade e pediu que o deixassem ficar em companhia de outros, num lugar onde se brincava de movimento.

— Nunca poderás brincar direito – observavam os entendidos. – Tens pernas tortas – pernas arqueadas são um grande empecilho para a vida.

Foi embora e procurou outros, que, com voz pública, declararam:

— Ninguém brinca melhor do que este.

Ganhou dinheiro, fama, suas pernas cambotas o levaram a outros países. Mas também sofreu enxovalhos, sua intimidade tornou-se objeto de escárnio. Entristeceu. A felicidade que distribuiu a todos foi suspensa.

Enquanto isso, à beira da estrada, o mundo triste, ele espera que o destino passe de novo e lhe diga o que será de sua vida.

* * *

— Caramba. Estou perplexo! Nunca fui um mau aluno nos tempos de escola. Estudamos os antigos. Nas leituras, fui além do obrigatório. Mas nunca tinha me dado conta de nada disso. É mesmo um conjunto de certezas que balizam a vida.

Exatamente. E você, com certeza, se deu conta de que esse jeito cósmico de pensar nos oferece subsídios para enfrentar o nosso problema maior.

Afinal, cooperar. Operar junto.

Cada uma das certezas apresentadas nos mostra as condições dessa operação conjunta.

* * *

A cooperação pode se dar por simples somatória. Justaposição de agentes, de ações identificadas e simples resultado acumulado. É o caso de lavradores realizando o mesmo trabalho com os mesmos instrumentos. Costureiras produzindo o mesmo tipo de roupa com máquinas de costura idênticas.

Ou prestadores de serviços quaisquer, reunidos numa única organização, mas obedecendo ao mesmo protocolo. Como num *call center*.

Nesse caso, a reunião dos que cooperam não é fator decisivo no resultado final do que é produzido ou servido. Porque cada indivíduo executa o trabalho do começo ao fim. É, portanto, responsável pela integralidade do processo de produção.

Cooperam por participar de um resultado único que é simples somatória. Ainda assim, estabelecem entre eles relações. Que podem ser de ajuda mútua, de competição ou um pouco de ambos.

Nesse tipo de cooperação, no qual todos que cooperam realizam a mesma atividade, a especificidade da essência, dos recursos e das habilidades naturais de quem coopera costuma contar muito pouco. O mesmo conhecimento, a mesma técnica, os mesmos meios de produção e prestação de um serviço, os mesmos protocolos e resultados previsivelmente muito semelhantes ou idênticos.

* * *

A cooperação pode se dar de outra forma. Vários indivíduos participam do mesmo processo produtivo ou do mesmo atendimento. Nesse caso, cada um realiza uma atividade diferente. Elas são, portanto, complementares. O produto final será um só. Pelo qual todos são corresponsáveis.

Nesse contexto, a reunião é imprescindível para a obtenção do resultado final. Os que participam desse processo não o conduzem individualmente do começo ao fim. Mas são responsáveis por segmentos dele.

É o que denominamos propriamente divisão social do trabalho. Nesse caso, a especialidade conta mais. Distintas aptidões podem permitir uma boa alocação de recursos, com maior eficiência produtiva e de atendimento.

Cabe aqui ao líder, responsável pelo processo todo, identificar os traços de natureza de cada integrante do grupo e prepará-lo para a realização de uma atividade que lhe corresponda.

Ainda assim, em muitos casos, mesmo quando a cooperação é por complementaridade, a rigidez dos protocolos tem toda primazia sobre inclinações naturais, talentos e aptidões.

Uma recepcionista participa de um complexo sistema de complementaridade funcional. Foi designada para essa atividade por ter notável habilidade no relacionamento interpessoal. Lucidez no encaminhamento de demandas, capacidade de atribuir sentido a discursos muito diversos e de enunciar mensagens claras, objetivas e de encaminhamento seguro. No entanto, tudo isso poderá ser asfixiado por um protocolo pasteurizado de atendimento, que reduzirá a sua atividade a meia dúzia de frases decoradas, com uso obrigatório do futuro em gerúndio – eu vou estar encaminhando ao senhor assim que o seu cadastro for preenchido.

* * *

A má compreensão do funcionamento do todo dificulta e empobrece a integração das suas partes. A cooperação será tanto mais lúcida, consciente e eficaz quanto maior for o entendimento dos múltiplos lugares, atividades, funcionalidades e sua efetiva complementaridade.

Em outras palavras, é preciso que todos que cooperam estejam cientes da extensão da sua responsabilidade para além dos limites da sua atividade. Dessa forma, se você pisar na bola aqui, esses tantos serviços e servidores serão negativamente afetados por tais e tais razões.

* * *

A busca da excelência na própria atividade só será possível a partir de uma excelência das atividades correlatas. Ou seja, cada qual é responsável pela própria excelência e corresponsável pela excelência dos demais.

Messi joga melhor no seu clube do que na seleção do seu país. Isso não resulta da qualidade dos demais jogadores. Enorme, em ambos os casos. Mas da excelência alcançada pelo treinamento. Pela repetição de gestos e movimentos em estrita complementaridade funcional.

O avanço do lateral direito para o ataque, tempos gloriosos de Daniel Alves, o passe para Messi no bico da grande área, em posição favorável para receber a bola. Eis a condição para que ele seja letal.

* * *

A excelência não vale apenas pela eficiência, pelo desempenho individual e coletivo, pelos resultados alcançados, pelo sucesso econômico do empreendimento.

Para o pensamento dos antigos, a ser sempre considerado, a excelência é um imenso valor de vida. Condição de uma existência colorida, desafiadora e feliz. E, como é óbvio, isso é o que mais importa. Que a vida de cada um possa ser boa. E que a busca de uma perfeição possa dignificá-la.

Se, com isso, os resultados perseguidos forem alcançados, tanto melhor.

CAPÍTULO 6

Nada ficou no lugar

Falaremos aqui sobre mudança. O destaque se justifica porque a demanda por palestras sobre esse tema é consistente e crescente.

* * *

"O mundo nunca mudou tão rapidamente."

Essa frase você ouve em todo lugar. Claro que nem tudo que é repetido por aí é verdadeiro. Por outro lado, unanimidades como essa não são necessariamente falsas ou mentirosas.

De fato. Ainda que toda comparação entre dados do presente e do passado esbarre em dificuldades metodológicas nada irrelevantes, é bem possível que o mundo nunca tenha mudado tão rapidamente, como se diz.

Em primeiro lugar, pelo número a cada dia maior de pessoas nele existindo, agindo e, portanto, transformando. Em segundo lugar, pelos recursos ou meios, sempre mais eficazes, para empreender essa transformação.

E, em terceiro lugar, pela necessidade de adequação das condições materiais de existência humana aos ritmos, cada dia mais frenéticos, de circulação do capital, inerentes ao sistema econômico vigente.

* * *

Mundos transformados aceleradamente precipitam o surgimento de problemas inéditos. Convém aqui uma palavrinha sobre a ideia de problema e outra sobre seu ineditismo.

Um problema é tudo que diz respeito a um dado de realidade que dificulta a realização do desejo de uma ou mais pessoas. Por isso mesmo, o real nunca é problemático em si mesmo. Mas tão somente para o humano que o identifica como tal.

Problemas inéditos, por sua vez, são os que não existiam até ontem. Realidades que só surgiram agora ou que já faziam parte da vida, mas passaram a ser entendidas como problemáticas em função de novas metas estabelecidas.

* * *

Esses problemas cobram, para serem solucionados, soluções também inéditas, isto é, nunca dantes cogitadas.

Não pode haver, a respeito dessas últimas, certeza de sua eficácia. Por isso, sua implementação enseja sempre algum temor. A falta de verificação prévia, de experiência vivida traz insegurança.

Por isso, é tentador aos menos audaciosos repetir soluções antigas, bem-sucedidas no passado, ainda que para resolver problemas que já não são os mesmos.

A vitória sobre esse temor é condição do êxito de organizações em espaços de concorrência e competição, como o mercado. Dentre essas organizações, as que fazem da cooperação o pano de fundo de sua estrutura e funcionamento padecem da mesma dificuldade.

Portanto, uma reflexão conceitual a respeito do assunto pode contribuir para o diagnóstico dos melhores caminhos para que esse temor não freie ou até imobilize o pleno florescer de suas possibilidades.

Passemos a ela.

* * *

O mundo está sempre a escapar ao nosso flagrante. Com seus corpos que já não são mais, que nunca param de deixar de ser. Quando vamos repetir ou confirmar o que tínhamos percebido, eis que nos deparamos com novas realidades. E constatamos que já não são mais o que foram um dia. Talvez tenham sido. Como ter certeza se a confirmação desmente?

Com alguma sorte, os mundos um dia percebidos viram lembrança e torcem pela memória para sobreviverem no espírito.

Mas, nesse instante, em que estamos você e eu envolvidos nesta leitura, aqueles corpos que um dia flagramos no mundo, bem como os nossos próprios que os percebem, já não são mais. Se ainda forem algo, converteram-se em outra coisa.

E se acha que estou exagerando é porque não olhou direito para o mundo. Tampouco para o espelho. Pode crer. Nada ficou no lugar. Dando razão a Adriana, que canta lindamente a sina da impermanência.

* * *

Você ouve e resmunga baixinho.

— Mas, como assim? O que você diz pode ser poético. Mas não é assim que funciona na hora de encarar a vida do dia a dia. Eu, por exemplo. Volto todo dia do trabalho e encontro minha família em casa. As pessoas que também moram lá comigo. E tudo costuma estar no lugar. Tudo, na verdade, ficou no lugar. A casa ela mesma, refiro-me à edificação, com suas paredes, seu telhado, suas portas e janelas. Bem como as coisas dentro dela. Nada desapareceu do dia pra noite. As pessoas que todo dia encontro ao regressar são as mesmas que lá estavam pela manhã. E cada uma elas, por sua vez, me cumprimenta quando abro a porta. Temos esse hábito de saudar e sermos saudados ao entrar e sair de casa. Pois bem. Ao celebrarem o meu regresso, todas elas têm certeza de que eu sou o mesmo que saiu de manhã para trabalhar. Elas sabem quem eu sou. Quem eu era e continuo sendo. Portanto, para elas, ao menos, eu também fiquei no lugar.

* * *

Quisera eu ter sempre diante de mim pessoas como você. Atenciosas ao que digo. E dispostas a contrastar as afirmações que faço com a própria experiência. Quero elogiá-lo perante todos os demais leitores.

Mas agora é a minha vez.

E eu te pergunto: será mesmo que tudo isso que você apresenta, em tom de obviedade absoluta, procede?

Você propõe que, ao final do dia, edifícios, coisas menores e pessoas estejam tal como você as deixou pela manhã ao sair. Eu presumo que você se refira aos dias ditos normais, sem incêndios ou óbitos na família.

— Claro. Um dia como outro qualquer.

Muito bem. Quer dizer que, ao longo desse dia como outro qualquer, nada te aconteceu? Não houve encontros seus com o mundo? Não houve interação com coisas, com pessoas?

Você nada fez e nada transformou? Você não tirou nada do lugar? Não deixou nada escrito que antes era página em branco? Não sujou nada que estava limpo?

Não encontrou ninguém no elevador? Com quem tenha conversado? Acredita mesmo que, com você ou sem você, tudo teria sido o mesmo para as pessoas encontradas? Não acha que a viagem de andar em andar em conversa com você é vida diferente daquela na solidão da nave?

Você não disse nada a ninguém? Informou sobre algo ignorado até então pelo interlocutor? Você não propôs um café que, sem o seu convite, teria sido tomado em outro momento, ou em nenhum momento? Você não solicitou alguma tarefa que ocupou seu subordinado? Não entregou a tarefa ao chefe em tempo de satisfazê-lo? Ou em atraso que o tirasse do sério?

E, nesse dia, como em outro qualquer, ninguém nesse mundo tampouco fez ou disse nada que tenha te alegrado, entristecido, feito sorrir, chorar, pensar, discordar? Nada que tenha aprendido de novo? Cuja existência ignorava. Ou algo sobre o que tenha refletido melhor? E calibrado sua opinião a respeito.

— Claro que sim. Muita coisa parecida com isso aconteceu. Talvez o tempo todo.

Mas então você foi afetado? Amou, sorriu, chorou, sentiu raiva, fome, sede, em suma, viveu. Talvez o tempo todo.

— Claro que sim. Por mais que eu costume ficar na minha, não dá para se blindar completamente. Quando evitamos algumas coisas, acabamos por encontrar outras. Não tem jeito.

Para me fingir de morto no trem, costumo usar um superfone de ouvido bloqueador de ruído, presenteado pelo meu grande amigo Marcial.

Desse modo, não tenho que conversar com quem puxa papo ao lado. Mas vou ouvindo meu jazz, mandado pelo Nelson – outro grande amigo – numa superplaylist. Com destaque para Anat Cohen e Marcello Gonçalves em "Outra Coisa". Preciosa dica.

Como você vê, nada como ter amigos para fugir do mundo. Mas para escapar do chato do trem, mergulho na música e me deixo encantar por ela.

E acha que nada disso produziu em você nenhuma mudança? Você não se alterou em nenhum momento?

— Não sei se essas coisas todas que você falou, de fato, me transformaram. Na verdade, não consigo enxergar exatamente nenhuma mudança.

Vamos tentar por outro caminho.

* * *

Você admite, sem dificuldade, que não nasceu com o corpo que tem hoje.

— Certamente que não.

Tampouco com a capacidade de pensar e enunciar pensamentos que tem hoje. Chamemos de competências da alma.

— De jeito nenhum.

Então, num dado momento, ou em vários deles, você sofreu alguma transformação. Estamos de acordo, por enquanto?

— Sim, estamos.

Pensemos juntos para encontrar esses momentos. Pode ser?

— Com certeza.

Pergunto a você se acredita que as transformações no seu corpo e alma aconteceram, todas elas, ao término de cada década de vida.

Nesse caso, você teria permanecido o mesmo durante dez anos e só no final da década teria envelhecido, de uma vez, o correspondente aos dez anos. Acha que pode ter acontecido isso?

— O senhor está brincando. Isso é absurdo. Claro que não.

Então proponho que essas mesmas mudanças de envelhecimento no seu corpo tenham acontecido nas viradas de cada ano. No tal do Réveillon. Em 31 de dezembro. Exatamente à meia-noite.

De um segundo a outro, todas as transformações de corpo teriam se processado de uma vez: ossos se alongaram, pelos surgiram; esbranquiçaram; caíram; a voz engrossou; a genitália se desenvolveu.

Ao mesmo tempo, nesse mesmíssimo instante, e só nele, toda a elevação de alma se processou, o repertório se alargou. E você, naquele instante, passou a discorrer sobre as causas da falência do modelo tradicional de produção industrial, tão em voga no século XIX; ou sobre buracos negros no universo, energias renováveis, ou quem sabe ainda sobre a importância de Fernando Pessoa para o mundo lusofônico.

Tudo isso, de repente. Bem na virada do ano. Pode ser?

— Essa proposta, o senhor bem sabe, continua absurda. É claro que as mudanças que sofremos não acontecem na noite da passagem do ano. Ótimo. Então quero crer que tenham ocorrido mês a mês. No quinto dia útil, por exemplo. No dia em que muitos recebem seus salários.

— Claro que também não.

Aos domingos?

— Também não.

Então devem acontecer todos os dias.

— Suponho que sim.

Mas a que horas, exatamente? Enquanto você dorme?

— Não sei. O senhor sabe?

Ora, vamos, não perca a esportiva. Tudo isso é para você entender do modo mais claro possível. Quando cogitamos pelo absurdo, o que é plausível pode saltar aos olhos com mais clareza.

* * *

Você já está a ponto de aceitar que as mudanças acontecem segundo a segundo.

Mas não há segundos no mundo. O que há é a duração do movimento da Terra em torno de si mesma e do percurso dessa mesma Terra em torno do Sol.

Horas, minutos e segundos são divisões e subdivisões dessas durações.

78 | XÁ-KU-NÓIS

Assim, como sabemos todos, o ano indica uma volta completa da Terra em torno do Sol. E o dia, a volta completa em torno dela mesma. A partir disso, dividiram esse dia em horas, 24, e cada uma delas em 60 minutos. De modo que, fazendo o caminho inverso, se multiplicarmos o tempo que dura cada minuto por 60, teremos a duração de uma hora.

E, se multiplicarmos o tempo que dura cada hora, isto é, o tempo que duram 60 minutos, por 24, teremos o tempo de duração de um dia, ou seja, o tempo que a Terra leva para girar em torno de si mesma.

Logo, sendo o segundo só uma convenção, cuja duração multiplicada por 60 corresponde à duração de um minuto, quando afirmamos que estamos mudando segundo a segundo, estamos, na verdade, sugerindo que a mudança não para. Não para nunca.

E toda essa história da convenção dos tempos a partir dos movimentos da Terra foi para chegar a essa conclusão. De que tudo que é material muda o tempo todo. Que as transformações no mundo acontecem em modo contínuo. Sem interrupções.

Tanto aquelas que incidiram sobre o seu corpo e a sua alma ao longo do dia quanto as que se produziram sobre qualquer outra unidade de matéria orgânica ou inorgânica em todo o universo.

Se você preferir, podemos dizer que não há um tempo, nenhum tempo, em que não se produza alguma transformação. Ou, ainda, que a permanência absoluta não combina com o mundo da matéria. Porque ela é feita de átomos. E esses não param quietos. Nunca.

— Entendi perfeitamente a explicação. Aliás, nunca tinha pensado sobre o meu corpo no mundo desse modo. Mas, ainda assim, continuo acreditando que, embora não tenha parado de me transformar em momento algum, continua havendo algo em mim que não mudou. E que não muda nunca.

Então, se eu bem entendi, você está seguro de que algo em você permaneceu, ainda que muita coisa também tenha mudado.

— Exatamente. Acho que toda essa história de mudança incomoda um pouco.

* * *

Não será porque ela denuncia que o que é nunca mais será, incluindo tudo aquilo que acreditamos ser o que amamos? Não será porque nos lembra, com certa truculência, que a vida – e tudo que dela faz parte – não para de ser outra o tempo todo? De deixar de ser o tempo todo?

Não será porque nos damos conta de que quando a vida deixa de ser é porque morremos? Morremos uma morte diferente. Uma morte em meio à vida. A morte de uma vida em proveito de alguma outra. Escancarando a pobreza existencial dos nossos apegos?

Não será o apreço pelo que já é a legitimar todo esforço contra a deterioração? Esforço por perseverar em si mesmo? Pela permanência no próprio ser. Pela eternidade. Ou, ao menos, por alguma duração?

Talvez tudo se resuma mesmo a isso. A luta malograda contra a finitude. A indignação patética ante o desaparecimento. Fazendo da vida um salto para o nada, no abismo da existência. Sem cordas nem ganchos. Uma angústia solitária, amor sem objeto. Esperança desesperada.

— Nossa! Agora você pegou pesado. Acho que tem, sim, um pouco de tudo isso que você acabou de dizer.

Você, querido leitor, falou que algo de você permanece no meio de toda mudança. Pode me dizer o que é?

* * *

— Caramba. Depois de tudo isso, você vem me perguntar o que permaneceu em mim. A resposta, na verdade, me parece meio óbvia. O que permaneceu sou eu mesmo.

Afinal, continuo sendo o Arnaldo, esse cara legal que sempre fui.

CAPÍTULO 7

Galanteador, militante e equilibrado

Este capítulo trata da sutileza das individualidades.
Tema da maior importância para quem pretende
liderar grupos de pessoas e, ao mesmo tempo,
respeitar as especificidades de cada uma delas.

* * *

Se, como dizia Durkheim, a sociedade é mesmo lógica e cronologicamente anterior ao indivíduo, toda cooperação – que é por natureza coletiva e convivial – também se encontra na origem de iniciativas individuais.

Com palavras mais simples, estamos propondo que tudo que um colaborador ou um cooperador faz no interior da empresa ou da cooperativa onde trabalha o faz porque ela existe. Trata-se de uma realidade social que se impõe.

As ordens – para quem manda e para quem obedece –, as atividades, as decisões, as iniciativas, as estratégias, os prêmios de final de ano, as camaradagens, mas também as decepções, as frustrações, as humilhações, e muito mais, tudo isso só existe porque esse recorte de sociedade existe.

Impossível explicar qualquer pensamento, deliberação, ação, manifestação de todo tipo de qualquer um dos agentes dessa organização sem levar essa última em conta.

E não precisa de nada muito cheio de gente.

Geraldo e Clóvis só estão escrevendo este livro sobre cooperação, confiança e mudança porque há uma editora, com um editor proprietário de nome Marcial, a nos incentivar, a dar os seus pitacos, a devolver o texto para incrementos e reduções, mudanças e emendas etc.

O que acabamos de dizer pode ser entendido como uma heresia. Uma ofensa ao chamado senso comum.

$* * *$

De fato.

Muitos de nós – acostumados a pensar primeiro no singular e depois no plural – acabam por conceber toda cooperação como a reunião de operações individuais preexistentes. Esse modo de entendimento ganha tintas de convicção se o famoso "eu" for um dos envolvidos.

Assim, pensar a partir das próprias iniciativas e das razões pelas quais cada um de nós deliberou isso ou aquilo é um hábito da inteligência difícil de ser rompido.

Tanto é assim que o professor Bourdieu, um dos mais importantes cientistas sociais do século passado, destacava – no sentido de chamar a atenção do leitor – que a sua própria obra só poderia ser entendida, explicada e analisada a partir da existência de um campo estruturado de produção cultural denominado campo acadêmico, com seus agentes – dominantes, dominados e pretendentes –, suas estratégias de conservação e subversão, condições de acessibilidade, regras de funcionamento, *habitus*, troféus etc.

Mas essa consciência da inserção da própria vida social num quadro estruturado com tantos pormenores é prerrogativa de muito poucos. O mais comum é enxergar a origem das próprias ações num movimento deliberativo que tem na própria razão e vontade o único motor.

* * *

Os cooperados podem encontrar-se simplesmente juntos, justapostos, em solidariedade mecânica. Fazem todos a mesma coisa, realizam a mesma operação, dividem custos e otimizam recursos.

Cada qual entende a sua participação a partir do seu olhar, das vantagens a obter com essa aproximação e dos ganhos a auferir em função dela. Suas decisões e ações são consideradas como resultantes de um ato de vontade que começa e termina em si mesmo.

Podem também os colaboradores operar de modo tal que cada um realiza uma parte da tarefa. Nenhum deles chega sozinho ao produto ou serviço final. Implementam iniciativas funcionalmente complementares, em solidariedade orgânica. Só quando processualmente imbricadas, perfazem o produto ou o serviço final da cooperação.

Ainda nesse caso, tenderão a conceber suas participações a partir de um olhar de utilidade que passa pelo quanto de esforço tiveram de investir para o benefício que esperam alcançar. Conferem ao próprio fazer uma centralidade tal que os impede de enxergar a instrumentalização do próprio trabalho.

Propomos aqui, portanto, uma ruptura no jeito de pensar. Que pressupõe conceber o coletivo como originário e primaz em face do indivíduo que o integra. E não como mera justaposição circunstancial e oportuna dos mesmos.

Sem que isso, nem de longe, implique a anulação das especificidades de trajetória, estilo, gostos, valores, talentos, experiências de cada um dos envolvidos na operação. Pelo contrário.

Não é porque a vida social se explica por causas sociais que as particularidades individuais desaparecem. Se a presença dos outros é fonte inesgotável de estímulos para o nosso corpo e alma, nossos afetos sempre serão uma interpretação só nossa de tudo que no mundo nos estimula.

* * *

Por isso mesmo, para começar, recomendamos cautela com os exageros sociológicos. Se a ingenuidade que a sociedade contratual esconde não nos ajuda muito, o radical inverso tampouco nos levará muito longe.

A tirania de uma sociedade onipotente, que formata indivíduos idênticos numa linha de montagem, sem nuances, é concepção tão ingênua quanto a sua contrária.

Basta dar-se conta da insuficiência dos métodos quantitativos. E a urgência de aperfeiçoá-los com técnicas qualitativas – como a análise de discurso, a entrevista em profundidade e a observação participativa.

Essas últimas dão conta da especificidade deste ou daquele entrevistado como instância relativamente autônoma de articulação discursiva, e não como mero reflexo da sua inserção social.

* * *

Um exemplo ajudará a esclarecer o leitor e a matar um pouco da saudade de quem escreve.

Éramos três amigos inseparáveis. Desde os tempos do Fundamental. E nesse tempo estudávamos na Universidade de São Paulo. Fernando na Engenharia, Fábio na Biologia e eu no Direito.

Haveria naquele ano eleições para prefeito. Em turno único ainda. Jânio Quadros, FHC e Suplicy disputavam os votos, os dois primeiros cabeça a cabeça.

Num domingo fomos ao cinema na Paulista. Lembro--me bem de que na saída um instituto de opinião solicitou--nos participação numa pesquisa de intenção de voto.

Embora nascidos os três na mesma cidade, curiosamente na mesma maternidade, no mesmo ano, morássemos no mesmo bairro, fôssemos os três filhos de servidores públicos de escalão mais ou menos equivalente, tivéssemos estudado desde a primeira infância até aquele momento nas mesmas escolas, como colegas de classe na maior parte do tempo, e frequentado os mesmos espaços de socialização para prática desportiva e lazer, era flagrante a nossa discordância ideológica, partidária e, portanto, política.

Cada um de nós votaria em um dos três principais candidatos naquela disputa. Mais do que isso: a importância que dávamos a esse assunto, a essa disputa e a nossa participação nela era significativamente outra.

Um de nós detestava política, mas interessou-se pela pesquisadora. E toda a sua boa vontade para responder deveu-se a esse apreço. O outro de nós era militante feroz. Combativo. Revolucionário. Transformador. Engajado. E o terceiro, a meio caminho, acompanhava o que se passava, fazia gosto de uma sociedade diferente daquela em que vivíamos, mas não gastaria mais do que umas dez calorias para defender o seu candidato, tido por ele como o mais equilibrado.

Nada como reconhecer a pertinência das grandes categorias sociais, mas entender que, no seu interior, há espaço para outras clivagens que podem descer ao nível dos espaços mais miúdos da relação ou, quem sabe até, da subjetividade mais estrita.

* * *

Desse modo, ninguém lúcido reduziria cada uma de nossas individualidades aos espaços sociais em que foram forjadas. Sabemos bem quanto dois irmãos, socializados nos mesmos espaços e de modo semelhante, podem se portar diferentemente.

Se o universo social importa muito para que possamos entender nossos hábitos e comportamentos, certamente outros tipos de fatores, que não propriamente sociais, merecem igual atenção.

Assim, é no seio da sociedade que indivíduos vão sendo gestados, esculpidos. Mas também é certo que as particularidades e especificidades desses mesmos indivíduos negociam, nas fissuras das engrenagens, nas fraturas de poderes rígidos demais, hiatos de autonomia perante todos os imperativos que os diversos mundos sociais teimam em impor.

* * *

Indivíduos que agem e interagem, definindo e redefinindo novos espaços de convivência.

Quer porque jogam um jogo já estruturado – como os integrantes dos campos político, jurídico, editorial etc. –, com seus eixos consolidados e conhecidos por todos, suas regras claras de ingresso, conservação e subversão.

Quer porque tateiam em espaços com referências ainda imprecisas, pouca autonomia diante de outros campos de interação social estabelecidos há mais tempo, tendo de ocupar posição às escuras, sem saber direito com quem ou contra quem estão a jogar, como ainda acontece com o agenciamento de influenciadores digitais para atividades de publicidade e marketing.

Ao mesmo tempo que os universos sociais já se encontram, com tudo de francamente assertivo e condicionante que costumam ter, ganham vida pela iniciativa ora previsível, ora inesperada, ora enquadrada, ora transgressora de seus agentes.

Tanto que com o trem rodando em alta velocidade, essa história de quem veio primeiro faz lembrar ovos e galinhas; ou aquelas bolachas da publicidade que nunca se soube se vendiam mais porque eram fresquinhas ou se eram fresquinhas porque vendiam mais.

Sobre quem veio antes, ou quem está na origem, quando olhamos no meio do processo, todas as afirmações parecem fazer sentido. O certo é que não há como entender um sem o outro.

* * *

Um exemplo vem à mente. Obra maior da literatura lusa. Da lavra de ninguém menos que Eça de Queirós. Falamos de *O crime do padre Amaro*. Romance que integra o realismo/naturalismo português e que atende a todos os requisitos de um clássico.

Transcende seu tempo e seu espaço. Cuida de problemas eternos da existência humana. Transborda genialidade no estilo, no encadeamento, nas descrições. Causou grande polêmica quando da sua publicação, pela primeira vez, em 1875.

O autor denuncia a corrupção dos costumes no seio da igreja, a manipulação do povo em proveito das elites, uma burguesia rural e seus satélites e, sobretudo, a promiscuidade na infraestrutura de uma sociedade hipócrita, falsa e moralista.

Ora, esse cenário crítico das instituições – e da igreja em particular – autorizaria o leitor a antecipar uma redução do caráter do pároco que empresta seu nome à obra a aspectos estritamente negativos.

No entanto, a leitura atenta da história permite perceber o cuidado, por parte do autor, ao apresentar os dramas de consciência que devastavam o sacerdote ao lutar contra e ao mesmo tempo ceder ao sentimento de paixão pela menina Amélia. Eça traça um sofisticado paralelo entre os afetos, de um lado, e as decisões morais, de outro.

Essas últimas titubeando ao sabor de alegrias e esperanças, afinal, Amélia abria brechas e acenava suas inclinações, bem como de ciúme – sobretudo de João Eduardo, escrevente medíocre que se considerava o namorado oficial –, temor de perdê-la para sempre e a tristeza ante a impossibilidade do romance. A certeza de um amor puro e belo mesclava-se com o desejo mais carnal, a volúpia e a concupiscência mais lânguida.

A complexidade caleidoscópica da *psiché* da personagem Amaro em nada coincide com a linearidade da personalidade de alguns de seus colegas, moldados na mesma palmilha eclesiástica, como o cônego Dias ou o padre Natário.

* * *

Por isso, quando refletimos sobre o que é cooperar, claro que não podemos abrir mão da dimensão social que define e redefine a legitimidade dos seus processos.

No entanto, tão importante quanto é ter em conta que toda cooperação é implementada por indivíduos. Pessoas de carne e osso como vocês e nós.

Essas pessoas, certamente, receberam seus contornos no talho das interações, nas alegrias e nas tristezas da convivência, nos prêmios e castigos das hierarquias. Mas foram se constituindo como sujeitos. E, a partir daí, reivindicando e assumindo suas soberanias relativas.

É no interior desse zigue-zague plenamente interativo que destacamos a importância dos processos de construção e identificação das individualidades. Das pessoas de verdade.

Sob pena de toda cooperação não passar de uma simples estrutura abstrata de pensamento, higienizada de gente com interesses, expectativas, propósitos pessoais, mas também aptidões, virtudes morais, caráter e identidade.

CAPÍTULO 8

Sou mamífero, bípede e vertebrado

O tema deste capítulo é o "eu". Melhor dizendo, a definição de si. De cada um de nós. A nossa identidade pessoal.

* * *

Até aqui, vimos que os nossos primeiros suspiros e choros se produziram numa sociedade que já existia de há muito. Que muitas outras pessoas já estavam por aqui quando demos as caras.

Vimos também que os significados das coisas do mundo, bem como os propósitos e valores da vida já circulavam nos discursos de todo mundo quando separaram nosso corpo do de nossa mãe. Que as palavras já permitiam a essas pessoas comunicar pensamentos, sentimentos, desejos e vontades.

Vimos que a tal da sociedade que nos acolheu era um comboio em marcha. Sem freio, maquinista ou estação de parada. Comboio que nunca tinha percorrido aquele trajeto. Que nunca tinha passado por aquele lugar antes. Em *tour* de trajetória única, com sentido e direção obrigatórios. Nessa viagem embarcamos à revelia. Sem intenção, desejo ou vontade. Sem lenço nem documento. Constrangimento do nascituro.

Como um menino medroso no alto do escorregador que, uma vez empurrado, só volta a ter algum controle sobre si lá embaixo, no fundo da piscina gelada.

E se, antes de vir ao mundo, numa colônia qualquer de almas desencarnadas, alguma consulta lhes tiver sido feita a respeito das pretensões de reencarnação, para ser vivida no meio desse ou daquele grupo, suponho que disso nunca ninguém teve a mais remota lembrança.

Desse modo, resta aceitar que a vida seja vivida no seu tempo e lugar. E com mais gente. Aquela gente e não outra. Em relação e sendo afetado por ela.

Gente essa que parece ter algum direito adquirido, dado que já ocupava o espaço quando contrações inesperadas nos expulsaram do paraíso uterino.

* * *

Vimos também que a mudança é um tema que preocupa. Que nos espaços de cooperação há temor em aceitá-la. Que há dificuldade em concebê-la como um contínuo. E que toda forma de vida e de convivência deve levar em conta esse dado da realidade de todos nós.

* * *

Neste capítulo vamos falar desse que chegou atrasado e pegou o bonde andando.

Veremos quanto um discurso sobre si – exigido a cada nova interação – obedece a regras estritas de aceitação.

Esse eu, que corresponde a cada um de nós, a origem e o fundamento daquele que estamos acostumados a pensar que somos – e a dizer a nosso respeito – é tema de relevância gritante.

Afinal, na hora de cooperar, importa saber quem somos. Para bem identificar – em relação aos demais – o que nos toca fazer. Qual a nossa especificidade operativa.

Vamos, como de hábito, nos servir de uma situação concreta que poderemos imaginar com facilidade. Nesse cenário encontraremos boas oportunidades para exemplos que nos serão preciosos.

* * *

Nosso cenário é uma balada. Quando você chegou, viu que estava bombando. E você não levava fé. A galera já estava bem animada, pulando ao som de um DJ bem conhecido. Você não conhecia ninguém. Mais desenturmado, impossível. Os dois que te convidaram, um casal bem simpático, por sinal, esses conheciam todo mundo, ou quase. Mas você mesmo também não os conhecia bem.

Esse casal eram e são ainda os seus genitores. Os seus pais. Eles que tomaram a iniciativa de te convidar. E você, recém-chegado, recém-nascido, não podia mesmo estar enturmado. Por sorte, eles te tratavam muito bem. Mas não há regra.

Logo que você surgiu por ali, a galera pareceu muito interessada em te conhecer. Aproximaram-se para isso. E não pouparam amabilidades. Alguns tinham levado até presente por saberem da sua chegada. Te observavam curiosos e comentavam tudo que viam. Com vivo interesse.

Você ouvia muito. Mas não entendia nem falava nada. Assustado, chorava e gritava, sem que isso, aparentemente, incomodasse ninguém. Pelo contrário. Havia ternura em olhares e gestos. Felicidade manifesta por você ter chegado. Por estar ali. Dava mesmo a impressão de que você fosse causa da alegria de todos.

* * *

Mas a festa foi rolando.

Aquelas pessoas que, num primeiro momento, pareceram estar ali só para te acolher, foram sendo encontradas e reencontradas.

Mas nem todas continuaram daquele jeito, tão solícitas, amáveis e interessadas nas suas gracinhas.

Pouco a pouco, você foi se dando conta de que aquela aparição triunfal, que te converteu por algumas horas em foco único de atenção, não se repetiria mais. Não daquele jeito.

De que tudo não passara de um boas-vindas ilusório e enganador. Que havia outras coisas que também interessavam às pessoas. Que você não era, necessariamente e o tempo todo, o que havia de mais importante para elas. Longe disso.

E à medida que o tempo passava e a festa transcorria, você foi descobrindo mais e mais sobre esse seu ser no mundo. Percebeu que poucos continuariam te dando bola. Que você não era mais o centro. Que aquela posição de protagonista do primeiro momento tinha sido perdida.

Aprendeu que tinha gente que chamava a atenção por dançar muito bem. Outros por cantar lindamente. Outros ainda por terem corpos esculturais. Ou rostos perfeitos. Havia os ousadamente vestidos. Gente com força, inteligência, astúcia, empenho e força de vontade descomunais. Capazes de autênticas façanhas.

Que dali para a frente não seria nada fácil recuperar a centralidade da primeira chegada.

* * *

Mas você percebeu mais coisas.

Por exemplo:

Que, para interagir, à medida que a festa rolava, você tinha que se apresentar. Para que as pessoas pudessem saber quem você era. Afinal, o casal que tinha te convidado para participar da festa não estaria sempre ao seu lado fazendo as honras.

Mas o que dizer sobre si mesmo?

Ora. Comece trabalhando com o que você já tem nas mãos. Durante todo esse período, você ouviu muita coisa a seu respeito. Lá, bem no começo, que você era lindo ou linda. Que parecia muito com esse ou com aquele. Falavam também de pessoas que não estavam por ali. E que nunca estariam.

Aos poucos, do nariz, boca, olhos, cabelo, você passou a ser apontado como tímido, sisudo, chorão, resmungão, e por aí foi.

Você, ainda sem conseguir articular muito, ia ouvindo tudo e agora já entendia alguma coisa. Você estava aprendendo com os outros quem você mesmo era.

E, depois de algumas músicas, eis que você começou a articular algo sobre si. Claro que ainda não se tratava de uma definição bem-acabada. Mas dava para o gasto.

Na balada, os interlocutores ficam atordoados, afogados num mar de infinitos estímulos. Eles não esperam mesmo nada de muito elaborado. Nem teriam condições para digerir. Isso que você balbuciou já deu conta. Acredite em mim.

Com o som tão alto, ninguém pergunta na lata:

— Quem é você?

Chegam com o corpo meio bambo e em movimento repetido e dizem coisas como:

— E aí?!!

— Maneiro. Cê tá com alguém? Tipo, veio com alguém? Conhece o Cadu de onde?

* * *

Ali, no calor daquela interação, há que ter sempre algo a dizer sobre si. Que possa dar conta desses primeiros momentos. Algo que satisfaça quem aborda. Veio à cabeça muita coisa verdadeira para dizer.

— Sou mamífero, bípede, vertebrado, portanto, pluricelular, com pulmões para a respiração, aparelho digestório e neurônios, muitos neurônios, que fazem sinapses bem legais.

Pela cara que ele fez, você intuiu rapidinho que não era bem isso que ele queria saber.

* * *

Não há situação de vida social que não cobre alguma identificação. Com variação nas formas. Currículo e entrevista de emprego, ficha de paciente na internação hospitalar, *check-in* em hotel, RG no motel, cadastro na recepção do edifício comercial e todo o resto.

As informações requisitadas acabam se tornando previsíveis. Tanto que quando escapam minimamente, causam estranhamento. Como perguntar o estado civil para receber um livro pelo correio ou a frequência a algum culto religioso para ser medicado em uma enfermaria.

* * *

Dizer quem é. Exigência social, portanto. Nem sempre serve qualquer discurso.

— Sim. Vida não é só balada. As pessoas podem ser exigentes. Cabe adivinhar as informações que julgam óbvias para te enquadrarem. Acho que é para definir rapidinho se inclui ou exclui do grupo.

Exatamente. Em outros tempos, essas informações não eram as de hoje. O cadastro do "eu" cobrava outros dados.

Por exemplo:

A empresa onde trabalha já foi mais importante na hora de falar sobre si. Até porque, hoje em dia, tem muita gente se dando bem trabalhando por conta e de casa.

A família e seus sobrenomes também já tiveram seus dias de glória. Hoje importam em universos particularmente sensíveis às tradições.

Integrar organizações e associações estritamente privadas, por onde circulam distinções simbólicas variadas, um dia já fez toda a diferença.

Nos dias que correm, as práticas de consumo – no seu sentido mais amplo – são particularmente distintivas na enunciação de um discurso de identidade pessoal. Cada detalhe conta. Consumo de bens, de serviços, cultural.

* * *

O valor simbólico de cada ação de consumo se define numa sofisticada rede de referências constantemente chancelada e subvertida por agentes sociais legítimos e outros em luta por essa legitimidade.

Espaços sociais distintos têm formas particulares de definição do significado desse ou daquele consumo declarado.

Assim, andar com um livro de poesias de Drummond debaixo do braço pode posicionar esse leitor de formas muito diferentes em função de quem estiver avaliando.

* * *

Apresentar-se integra um ritual que precisa ser respeitado. Como acontece em muitas situações da vida social, esse ritual se torna um hábito. Um saber prático que se impõe sem que tenhamos de nos dar conta.

Qualquer desobediência aos protocolos é imediatamente sancionada. Com estranhamento, afastamento, chacota ou até enfrentamento.

Se no ônibus, do nada, sem ser perguntado, você disser simplesmente seu nome a quem está do lado, causará estranhamento.

Se na mesma situação disser que sofre de um grande vazio existencial e que vive angustiado, provavelmente ganhará outro companheiro de assento.

Se na escola disser – no primeiro dia de aula –, numa classe em que não conhece ninguém, que mamou até os 6 anos de idade será ridicularizado.

Se numa reunião com colegas da mesma profissão, sem os conhecer direito, disser que se considera melhor do que todos ali, talvez desperte animosidade e até hostilidade.

Em suma. A espontaneidade com que nos apresentamos e dizemos aos demais quem somos é apenas aparente. Está submetida a estrita vigilância. Não somos livres para dizer sobre nós o que bem entendemos.

Até porque a balada já estava bombando quando você chegou. Melhor dançar conforme a música.

* * *

O que você diz quando tem que explicar quem é?

Como vimos, não dá para começar uma conversa com a galera enlouquecida, alguém perguntando "e aí?", com a afirmação "sou uma pessoa generosa, quase sempre".

Mesmo que essa seja, para você, a sua principal virtude. A informação não cabe naquele lugar. Tampouco nessa etapa da interação. Quem sabe mais tarde. Bem mais tarde. Ou num segundo encontro.

Continuamos diante de alguém perguntando "e aí?".

— Estou me preparando para o exame de ingresso em uma faculdade de excelência. Esse me parece o melhor caminho para aumentar as chances de obter um bom emprego. Sempre fui excelente aluno. Tenho notas altíssimas.

Você é mesmo uma figura!!!

— Mas toda a minha vida está voltada para isso. O que você queria que eu dissesse?

Diga o que quiser, uai. Mas enquanto não aprender a dançar conforme a música, não vai pegar ninguém.

* * *

Finalmente você engatou a conversa. Despertou interesse. Terá que dizer quem é. O problema continua.

— Mas por que tanta necessidade de dizer algo sobre si? Não podemos falar das eleições americanas ou da classificação do Brasileirão?

As pessoas – com maior ou menor consciência disso – sentem necessidade de saber com quem estão interagindo. Sentem-se mais seguras, talvez.

— Mas, meu Deus, o que é que eu digo? Já fracassei duas vezes: na generosidade e no currículo escolar. E se eu apelar para a biologia? Sou um espaço de mitoses e meioses. Pulmão que respira etc.

Olha. Melhor não.

Eles precisam de informações que te identifiquem. Por isso, o que você disser sobre si será um discurso de identidade. Divisões celulares, órgãos e tecidos não identificam ninguém. Só em relação a protozoários. O que não interessa muito.

* * *

A identidade é um relato sobre si – socialmente aceito nessa ou naquela situação – que indica certa continuidade e, portanto, alguma coerência ao longo da vida. Trata-se de uma construção narrativa – que tem a própria vida como inspiração – que se serve tanto da memória quanto de alguma ficção.

Uma ficção histórica que mistura relatos de fatos com o lirismo romanesco das construções imaginárias sobre si.

A identidade, portanto, é mais do que um relatório. É uma produção discursiva sobre um eu vivente que se dá num tempo e num espaço específicos de sua vida. Com os interesses, desejos, alegrias, tristezas, esperanças, temores, repertórios daquele momento.

E, sobretudo, em respeito às regras de apresentação de si – incorporadas e convertidas em hábito –, que pautarão item por item do que o enunciado disser.

* * *

— Mas para além do que dissermos sobre nós mesmos, o que é, de verdade, esse eu que se apresenta?

Eita, agora você pisou em terreno pantanoso. As ciências humanas nos ensinam que essa singularidade cobrada pelo seu interlocutor é uma ilusão. Que não há substância. Apenas uma sobreposição indefinível de estruturas orgânicas, psíquicas, sociais, linguísticas.

Que o tal do eu – ou sua alma – não poderia ser sua causa. Quando muito, seu efeito. Por isso resta pouco. Pouco mais do que a ilusão de si. Sempre exigida e chancelada por outros iludidos. Como Narcisos, sujeitos de seus sonhos.

Veja o que diz o filósofo Nietzsche, de quem, com certeza, você já ouviu falar:

— Não concordo que o "eu" seja aquilo que pensa. Ao contrário. Considero o "eu" como uma construção do pensamento, com o mesmo valor que "matéria", "coisa", "substância", "indivíduo", "propósito", "número". Isto é, só como ficção reguladora, com a ajuda da qual se inventa, no mundo do vir a ser, uma espécie de estabilidade.

Relatos sobre si. De ilusões sobre o eu. Relatos sem objeto. Labirinto. Vazio de ser. Abismo.

Não havendo nenhum eu – tipo Clóvis ou Geraldo – que permaneça, ficamos dependendo dos relatos para podermos ser alguma coisa. Daí a cobrança. Daí a necessária repetição. Para convencimento e autoconvencimento.

Nossa identidade – em forma de narrativa – garante que algo permanece idêntico. Que o de ontem é o mesmo do de hoje. Que algo do Geraldo que saiu de casa para trabalhar voltou do trabalho e sentou-se para jantar. Garantia de que haja algo que corresponda a Geraldo. Com quem sua esposa se casou. E continua casada.

* * *

— Beleza. Temos que ter uma identidade. Ela assegura alguma permanência onde não há. Permite inclusões e exclusões.

As informações que devem constar no discurso da nossa identidade são definidas histórica e socialmente. Mas ainda resta o seu conteúdo. O preenchimento do formulário. As respostas às perguntas. A substância – ilusória ou não – que eu apresento a meu respeito.

Você mesmo pode responder. Quando na infância você começou a ter consciência de si, o outro já fazia, há muito, parte da sua vida. Aliás, a consciência do outro antecedeu a consciência de si mesmo.

Mais ainda. Essa última foi se constituindo tendo a primeira como referência. Um eu foi se definindo em contraste com o outro que já se fazia presente.

Lembro da Natália. Ouvia muito: "Ela é linda". Afirmação dirigida aos pais a seu respeito. Depois, "você é linda". Diretamente a ela. E Natália, para falar de si, usava primeiro ela e depois você. O eu só chegou depois. Num terceiro momento. Em que ela se deu conta de que não era nem "ela" nem "você" para ela mesma.

Claro que ao longo da vida vamos consolidando uma identidade em primeira pessoa. Uma convicção a respeito dos próprios atributos. Mas ela teve sua origem no mundo social. Na chamada polifonia. Afinal, a sociedade chegou primeiro. Até mesmo para dizer quem você é.

Resta supor que toda essa complexa construção se dá ante um corpo físico singular como contraste, e com maior razão definirá também um coletivo, uma organização, uma cooperativa, de contornos mais abstratos, de atributos mais plurais, de propósitos mais difusos, de valores mais conflitantes.

CAPÍTULO 9

O Mumu do Anatólio

Este nono capítulo é sobre vontade.

* * *

O tema merece destaque.

Afinal, iniciativa, proatividade, espírito de dono e assemelhados são noções correlatas e estão entre as mais requisitadas, para palestras e consultorias, pelos profissionais de recursos humanos.

Sem falar da má vontade, tão comum na prestação de serviços, públicos e também privados.

* * *

Vontade é um conceito da filosofia.

Mas a palavra também está presente no cotidiano mais simplório. Seja indicando algo que se queira possuir – casa própria, carro novo, roupa e até livros, por que não? – ou algo que se queira fazer – comer doce de jaca, ir ao estádio ver o time do coração, viajar para o Japão.

— Estou morrendo de vontade de comer quindim!

Ou:

— Não sei como é que você ainda pode ter vontade de encontrar o seu pai depois de tudo o que ele fez para você e para a sua mãe.

A palavra vontade também aponta para tudo que alguém não faz muita questão de ter, não está muito a fim de fazer ou não quer de jeito nenhum.

Como nas afirmações abaixo:

— Não tenho tanta vontade assim de ir à praia quando o dia está nublado.

Ou:

— Não estou com a mínima vontade de estudar química para a prova de amanhã!

Mais esta para arrematar:

— Não tenho vontade nenhuma de ir ao cinema com o Anatólio!

Muito bem. Já entendemos quanto a tal da vontade está presente nos nossos discursos mais despretensiosos. Chega de exemplos.

Resta saber: quando falamos de ter vontade ou de estar com vontade, o que exatamente queremos dizer? Este nono capítulo tem a pretensão de buscar um significado mais preciso para o termo.

Venha comigo. Só temos a ganhar com essa reflexão.

* * *

Vontade é a faculdade de querer.

Essa é a definição que propomos. Curta e grossa, como se diz por aí. Você não parece ter gostado. Prefere afirmações mais longas. Aquelas mais recheadas de palavras.

Mas não precisa fazer essa cara de natureza morta. Já vou explicar. Serei abundante em vocábulos. Exaustivo até. Prometo.

Comecemos por faculdade.

Como é óbvio, não se trata aqui de uma instituição de Ensino Superior. Dessas que você passa no vestibular e entra. A faculdade aqui é outra. Trata-se de uma potência. De uma capacidade. Ou mesmo de um poder que uma pessoa pode ter ou não.

São muitas as faculdades que cada um de nós pode ou não ter.

De pensar isso ou aquilo. Como a solução de uma equação matemática; a saída para um problema de relacionamento; o melhor jeito de consertar um motor avariado.

De enunciar um discurso, de um modo mais ou menos sensível, como o fazem os escritores, os poetas e os oradores em geral.

De realizar uma tarefa ou fazer alguma coisa. Como na gastronomia, no esporte, na execução de uma técnica qualquer, nas intimidades que buscam prazer.

Em meio a tantas faculdades, há uma que nos interessa mais de perto neste capítulo. A faculdade de querer. De fato, tem gente que está sempre querendo alguma coisa, mas também os que nunca querem nada com nada.

* * *

Vamos tentar deixar mais claro por um outro caminho.

Lembra quando você começou a estudar inglês? E aprendeu a diferença dos verbos *can* e *may*? Este último refere-se a um poder concedido por uma autorização dada por uma outra pessoa.

Como na pergunta:

— Posso entrar? (*May I come in?*)

Você pode porque alguém autorizou.

Já o verbo *can* significa a capacidade física para fazê-lo. Uma possibilidade assegurada ou facultada por si mesmo.

Assim, você se pergunta:

— Será que eu posso aguentar minha noiva nos braços? Ou nadar cem metros livres em menos de um minuto? Ou ainda atribuir sentido aos *Fundamentos da metafísica dos costumes* de Kant desde a primeira leitura?

Ora, como acabamos de ver, o poder de que estamos a falar agora, de conseguir sustentar a noiva, de nadar rápido ou de entender um texto complicado, todos eles são faculdades. Resultam de uma condição ou recurso encontrados em si mesmo. Por isso, em inglês o verbo correto a utilizar, nesse segundo caso, é o *can*, e não o *may*.

* * *

Enquanto possibilidades existenciais que dispensam autorização alheia, temos muitas faculdades.

Como a inteligência, que nos faculta pensar; a sensibilidade, que nos faculta sentir; a visão, que nos faculta ver; a audição, que nos faculta ouvir; o movimento, que nos faculta o deslocamento etc.

Quando afirmamos que alguém não dispõe de inteligência, estamos sugerindo que esse alguém não pode ou não consegue pensar. Se, por ventura, tiver perdido a sensibilidade, não consegue sentir. E se tiver perdido a visão, não consegue ver. E assim por diante.

A natureza de cada um de nós patrocina essa ou aquela capacidade com maior ou menor acuidade. As ocorrências da vida, constitutivas de uma trajetória particular, também incidirão sobre o incremento ou apequenamento de cada uma de nossas faculdades.

Um erro médico numa intervenção cirúrgica corretiva de um descolamento de retina pode reduzir ou eliminar a visão, isto é, a faculdade de ver. Um acidente automobilístico pode resultar na perda de mobilidade. E o envelhecimento pode incidir sobre a audição, reduzindo a faculdade de ouvir.

* * *

Depois de todos esses exemplos, uma dúvida pode surgir.

Tínhamos definido vontade como faculdade de querer.

Será que esse querer é mesmo uma faculdade? Trocando um pouco as palavras: será que esse querer é mesmo uma capacidade, dessas que podemos ter ou não? Dessas que quando se têm nunca se perde? Ou dessas que perdemos ao envelhecer?

Será o querer uma capacidade como a de demonstrar um teorema, nadar rápido, entender um texto, falar japonês ou enxergar, ouvir ou se deslocar?

Fazendo a mesma pergunta de outros modos, como pela negativa, ganhamos alguma luz para tentar responder:

É possível que o querer esteja completamente ausente de alguém ao longo de sua vida? Haverá alguém no mundo que não tenha absolutamente faculdade de querer? Ou ainda: haverá alguém que não consiga querer absolutamente nada?

Ou será que alguma vontade todos têm?

Até que ponto uma capacidade que todos necessariamente têm – supondo ser esse o caso da vontade – pode ser entendida como uma faculdade?

Ou será que querer – diferentemente de pensar, correr, nadar, ver, ouvir – não passa de um dado da nossa existência, inerente à vida, que não decorre de nenhuma condição particular ou recurso específico?

Para entender melhor, imagine as seguintes constatações:

— Ele nasceu sem vontade. Passará a vida toda sem poder querer.

Ou ainda:

— Depois daquela ocorrência ele perdeu completamente a vontade. Por mais que se esforce, não consegue querer mais nada.

* * *

Pensemos nas demais faculdades que aqui nos serviram de exemplo. A presença ou não da inteligência, da sensibilidade, da visão ou da audição nos permite pensar, sentir, ver e ouvir, ou não.

Assim, se dizemos que a visão é a faculdade de ver é porque aceitamos a possibilidade de não ver. Como a faculdade que nos permite caminhar faz pensar de imediato na sua ausência e, portanto, na impossibilidade dessa ação. Tanto quanto a sensibilidade, que pode estar presente autorizando sentir, ou não, em caso de lesão neurológica.

Muito bem. Voltando para a faculdade que nos interessa aqui. A da vontade. Que nos permite querer. Seguindo o mesmo raciocínio acima, poderíamos inferir que se a vontade é uma faculdade, pode estar presente ou não neste ou naquele indivíduo. No caso da sua presença, quem dela dispõe consegue querer, seja lá o que for. No caso da sua ausência, não há como querer. E, nesse caso, absolutamente nada. Como um homem cego que, não dispondo da faculdade da visão, também não vê absolutamente nada.

Retomando a pergunta acima: podemos pensar em alguém completamente desprovido de vontade, isto é, sem nenhuma capacidade de querer?

Não querer absolutamente nada, acho que não. Afinal, se eu tampar todas as suas vias respiratórias, talvez perceba que respira e queira continuar respirando. Mesmo que não tenha sempre plena consciência desse querer.

Mas quantas vezes você já ouviu ou mesmo disse coisas do tipo:

— Eu até acho legal essa ou aquela experiência, mas quando chega na hora, não sei o que me dá e eu perco totalmente a vontade.

Assim, podemos supor que haja, sim, uma faculdade do querer. Uma capacidade de querer. Um poder de querer. Que pode aparecer e desaparecer em função das circunstâncias da vida.

* * *

Vontade também é a faculdade de não querer.

E antes que você recupere sua fisionomia de ostra, vou logo dizendo: uma coisa é não ter vontade, não ter capacidade de querer e, por isso, não querer nada. Outra coisa, bem diferente, é ter vontade, às vezes muita vontade, e, por conta dela, não querer isso ou aquilo, não querer com gosto, de pés juntos e punhos fechados.

Como eu, que não quero com gosto comer queijo de soja, passar o dia trocando mensagens no celular ou assistir a jogos do meu time em ocasiões que seus jogadores não se mostram interessados.

Na falta de vontade, é muito diferente. Há indiferença. Não há volição. Nem para o sim, nem para o não. Tanto faz o que vier a aparecer pela frente. Agora, na vontade de não querer, não há indiferença alguma. Pelo contrário. O não querer é tão assertivo quanto próprio querer. Ou mais.

Desse modo, se você não quer sair com o Anatólio, você está cheio de vontade. Só que essa vontade é de viver a sua vida na ausência do rapaz citado.

Da mesma forma, não querer estudar química não significa necessariamente falta de vontade. Pode haver uma vontade férrea, uma grande capacidade de querer. Querer evitar a química a qualquer preço.

Isso porque quem quer alguma coisa é porque não quer o seu contrário. Ou qualquer outro não coincidente.

Sei que ficou um pouco abstrato, mas no fundo é muito simples.

Querer comer um quindim corresponde a não querer deixar de comê-lo. Vale também para Mumu, doce de leite gaúcho, que na terra de Marcial, o editor, reina soberano. Bem como não querer a companhia do Anatólio corresponde a querer outra companhia ou nenhuma.

* * *

Mas não há que confundir essas vontade com o desejo. E por que não?

Em primeiro lugar, porque todo querer – possibilitado pela vontade – é sempre em ato. Querer agir sem poder realizar a ação querida é um absurdo conceitual. Como querer andar sem poder se levantar. Ou querer ver sendo cego.

Uma vontade que não pode agir e, portanto, não age, nega-se a si mesma, não existe como tal. Será uma simples quimera, um desejo, um devaneio.

Desse modo, aquele que quer comer já está comendo. Quem quer andar já está na iminência de marchar. Levanta-se e anda. Aquele que quer ler já está a abrir o livro.

* * *

Por isso, toda vontade – e o querer que ela faculta – tem necessariamente por objeto o que é realizável por quem o quer, isto é, o que está ao seu alcance.

Enquanto que o desejo, não necessariamente.

Assim, eu sempre desejei voar, por conta própria, e sem ser em queda livre. Algo como flutuar no ar. Se fosse possível um deslocamento em alta velocidade batendo os braços, melhor ainda. Ora, voar por conta própria ou me tornar invisível podem ser objetos de desejo. Mas não de vontade. Porque essa última implica, como dissemos, realização, atualização.

E os dois desejos acima não se deixam realizar, dadas, de um lado, as condições gravitacionais a que estamos submetidos e, de outro, a estranha mania de alguns fótons de esbarrar em nós e refletir nossos corpos para olhares curiosos.

* * *

Dizíamos que a vontade não se confunde com o desejo.

Em segundo lugar, porque aquela primeira diz respeito a uma certa concepção de liberdade que a afasta de modo estrito desse último.

De novo, eu sei que deve ter soado abstrato demais. Contudo, novamente, não há nada de misterioso aqui. Venha comigo.

Sugerimos aqui que a vontade pode ser entendida como a linha divisória entre o humano e os demais animais. Esses últimos, como vimos, regidos pela sua natureza e dirigidos por seus instintos, vivem como só poderiam viver. Não escapam nem um fiapo do programa que sua natureza lhes prescreveu.

Desse modo, esses animais todos, podemos dizer, já teriam nascido com tudo de que precisam. Com todos os recursos de que devem dispor para levar suas vidas específicas. E, regidos por sua natureza, também operam juntos. Sem, contudo, cooperar como nós. Porque, como vimos, nossa cooperação resulta de vontade, decisão e autonomia. Enquanto que a operação conjunta deles resulta apenas de sua natureza. Uma palavrinha suplementar sobre o que acabamos de dizer.

* * *

Se tudo parece meio óbvio, a cautela em deixar as coisas claras advém de uma confusão possível.

Como acabamos de sugerir, outros viventes, animais sobretudo, intervêm sobre o mundo somando esforços. Quem nunca observou a movimentação intensa e constante nas imediações de um formigueiro?

É tentador concluir que esses animais agem, trabalham e cooperam para alcançar seus objetivos. Mas nada disso é verdade. Não há que confundir o que acontece num formigueiro com nenhuma forma de organização humana.

— E por que não?

Ora, formigas, e os demais animais, são absolutamente instintivos, isto é, estritamente regidos por sua natureza.

Não nos cansaremos de repetir que instinto é um modo rígido e binário de reação a este ou aquele estímulo do mundo.

Isto é, em certa situação, ou ante certa realidade, o instinto determina um único modo possível de reação.

Assim, tudo o que podemos observar no modo como vivem formigas ou quaisquer outros animais é o que só poderiam ser. Inexoráveis, portanto. Não há consciência de outros movimentos possíveis. Não há atribuição de valor, como mais ou menos adequado, conveniente, eficaz a esse ou àquele procedimento cogitado.

Sendo assim, a aparente intervenção conjunta, com alguma complementaridade funcional, que observamos na vida de muitos animais, insistimos, nada tem a ver com a autonomia, a organização interna e as decisões levadas a cabo pelos humanos para viver desse ou daquele modo.

Dessa forma, se no caso dos animais, não importa o indivíduo, o lugar, a época, porque todos da mesma espécie, dispondo da mesma natureza, reagirão do mesmo modo aos mesmos estímulos, no caso dos humanos, é decisivo saber com quem estamos lidando. Quem são os envolvidos. Que indivíduos estão cooperando. Porque, como podem imaginar, isso faz toda a diferença.

* * *

Só para não ficarmos no ar das elucubrações abstratas, deixando você sem os pés no chão, vale sugerir uma constatação que está ao alcance de qualquer um.

Numa cultura de resignação e dedicação pessoal, com abdicação de pretensões individuais ou particulares em proveito do valor maior que é o sucesso do grupo, do coletivo, da organização, uma cooperativa tem muito mais chances de ser bem-sucedida do que em outra sociedade qualquer cuja cultura priorize o sucesso e a distinção individual.

Sendo assim, saber com quem estamos cooperando parece precaução de bom senso para o bom desenvolvimento dos processos e o consequente êxito na obtenção dos resultados pretendidos.

* * *

Como nascem pobremente apetrechados de recursos naturais – sempre em relação ao que a vida deles exigirá –, humanos devem, por sua própria conta e risco, perseguir algum aperfeiçoamento.

Em outras palavras, a simples utilização dos recursos naturais recebidos no nascimento não dará conta das necessidades existenciais, cada vez mais exigentes. Por isso, é preciso ir além. Aperfeiçoando sempre o já recebido, potencializando competências e logrando desempenhos impensáveis na vida pretérita.

É o que alguns chamam de perfectibilidade. Faculdade que humanos têm de se aperfeiçoar em face de suas condições naturais de existência.

Essa liberdade lhes permite também excessos. Iniciativas antinaturais, de autodestruição.

Por isso, mesmo cientes de que certas condutas tendem a destruir seu organismo, não hesitam em praticá-las e até mesmo convertê-las em hábito.

Eis o ponto que buscávamos alcançar. Com base nessa faculdade de aperfeiçoamento, bem como na de cometer excessos, Rousseau nos brindará com uma fórmula de grande beleza e profundidade:

— A vontade do homem fala ainda quando a sua natureza se cala.

Observe que aqui, entre humanos, a natureza também está, como é óbvio. Temos todos um corpo e um programa genético supercomplexo, com seus cromossomos espiralando para todos os lados.

A branquitude pálida, quase cadavérica, de um dos autores deste livro contrasta com a negritude pujante, vertical e cheia de vida do outro. Já os leitores, cada qual terá seus espelhos para suas constatações.

No entanto, nesse caso de homens e mulheres, a natureza não é tudo. Nem é o mais importante. Triunfam a indeterminação, a lacuna, a fissura, a pobreza. Que, por sua vez, abrem espaços para que a vida seja também regida de outro modo.

Assim, humanos podem decidir viver na contramão de sua natureza. Diríamos que, às vezes, parecem fazê-lo, caprichosamente. Caminhando no sentido inverso. Vivendo na antinatureza.

* * *

Assim, para não ficarmos na pura especulação, vale aqui um exemplo:

Se, de um lado, o princípio da seleção natural aponta para a sobrevivência e a reprodução dos mais aptos, dos mais adaptados, de outro, na mais estrita contramão desse tipo de seleção, a ética estabelecida nas sociedades ocidentais, inspirada em valores como a inclusão e a diversidade e objetivada em critérios específicos de distribuição de recursos, como as cotas, se empenha justamente em proteger os menos adaptados.

* * *

Cooperação é operação. Quem coopera opera.

E toda operação é, antes de tudo, uma ação. Uma potência que se atualiza. Uma potência de escolha que se efetiva em vida vivida. Que se realiza em ato. Num ato de vontade.

Que pode vir acompanhado de algum exercício de razão prática. Como a identificação de algum fim, objetivo, meta ou resultado e dos meios mais indicados para alcançá-lo.

Decorre daí que toda cooperação também seja um ato de vontade. Faculdade de querer operar junto. Que, como toda vontade, supõe alguma potência de escolha que se atualiza.

Assim, sabemos, é sempre possível querer agir e operar sozinho. É também possível querer se organizar como empresa vertical, piramidal. É possível, em terceiro lugar, não querer agir de jeito nenhum.

Mas, finalmente, também é possível querer cooperar. Essa escolha pode vir acompanhada da identificação dos meios mais adequados para os fins estabelecidos.

Só que com a vontade, a faculdade de querer, a participação de duas ou mais pessoas, operando juntas, em busca de um propósito comum.

* * *

Acho que com relação à vontade, estamos entendidos. Mais mastigado do que isso, não conseguimos.

Caso ainda não tenha entendido, retorne ao livreiro que lhe vendeu esta obra, devolva-a e peça o seu dinheiro de volta.

Na hipótese, bem provável, de ele se recusar a devolvê-lo, reporte-se ao editor Marcial, sócio-fundador da Citadel. Com certeza, ser-lhe-á proposta alguma troca amplamente vantajosa. Como, por exemplo, por um exemplar do best-seller *Mais esperto que o diabo*, do grande Napoleon Hill.

Viu só? Não tenha receio de manifestar o seu desentendimento. Acontece.

CAPÍTULO 10

Condôminos e baladeiros

O tema deste capítulo é o desejo.
Bem previsível, aliás, na sequência da
vontade apresentada anteriormente.

"Não quero faca, nem queijo. Quero a fome."
(Adélia Prado)

* * *

Se o desejo é só falta...

Mulheres e homens desejam ser. Por isso não são.

Mulheres e homens não são. Por isso desejam tanto ser.

Mulheres e homens nunca foram. Por isso sempre desejaram ser.

Mulheres e homens nunca serão. Por isso desejarão ser sempre.

Mulheres e homens são vazios de ser. Por isso desejam plenitude de ser. Mulheres e homens desejam sempre. Confundem-se com o desejo.

Por isso, talvez, sejam desejo. Mas, nesse caso, seriam algo. E não poderiam desejar sê-lo.

Não se deixe impressionar com as linhas acima. São só poesia. E poesia ruim. Por isso mesmo, é hora de voltar para o nosso arroz com feijão bem temperado.

* * *

Você se lembra das provas de física que teve que encarar no Ensino Médio.

Um veículo se desloca em movimento retilíneo e uniforme à velocidade de 80 quilômetros por hora. Em quanto tempo percorrerá a distância de 500 quilômetros?

Esse está fácil. Temos três dados. O tipo de movimento, a velocidade e a distância. A incógnita é o chamado delta t. Delta esse representado por um pequeno triângulo, lembra?

Tentemos aqui um paralelo. Com isso daremos ao leitor a impressão de rigor. Nossa incógnita é a cooperação entre humanos. O dado que temos é este: humanos desejam. Sempre.

Este capítulo nos permitirá jogar um pouco de luz sobre o desejo. Sem isso, tudo que propusermos sobre cooperar será em vão.

126 | XÁ-KU-NÓIS

* * *

O que é o desejo?

A resposta de que gostamos mais não é aquela com que devemos começar.

Gostamos de pensar desejo como força vital. Como potência. De agir, de pensar, de gozar. Como energia mobilizada para viver naquele instante e naquele lugar. Num mundo que já está bem aí. E você em plena relação com ele.

Desejo na palestra, por exemplo. Batendo no peito. Duzentos por cento centrado na produção do discurso. Adrenalina jorrando. Nossa. Você não tem noção.

Mas essa não deve ser a primeira resposta. Pouco importa do que eu gosto ou deixo de gostar. Você tem que ser levado pela mão dos grandes. Eis o nosso compromisso.

* * *

Com vocês, a resposta de Platão. Que atravessa toda a história da filosofia.

Vamos encontrá-la num dos seus 35 diálogos. *O banquete. Simpósio*, em italiano. A citação do termo no idioma de Dante não é esnobismo. É que "simpósio" joga luz sobre a conversa, ao passo que "banquete" faz pensar em comida. Foi só por isso.

Platão, nesse diálogo, mais do que em qualquer outro, não entrega fácil o que lhe parece mais precioso. Parece ciumento de suas ideias. Não as compartilha com qualquer um. Só com os que considera dignos de tal privilégio.

Como num jogo de máscaras.

A trama filosófica e literária é a mais bela da obra platônica. Cada detalhe tem grande relevância.

O banquete é pouco dialogado. São sete discursos que se sucedem. Na ordem em que se encontram acomodados os comensais.

Trata-se mesmo de um jantar. Para celebrar a vitória do anfitrião, Agatão, num concurso de tragédias.

Os convidados são todos representativos de segmentos importantes da sociedade ateniense. Fedro, discursos políticos; Erixímaco, medicina; Aristófanes, comédia; Agatão, tragédia; Pausâneas, poesia. E Sócrates, filosofia. Porta-voz oficial do platonismo. Além de mestre do autor da obra.

Após o jantar, decidiram, por sugestão de Erixímaco, falar sobre o amor. Até porque, já ensinavam dona Nilza e dona Luzia, mães dos autores, não se deve falar de boca cheia. Estimulados todos pelo vinho, que sempre ajuda a baixar a guarda.

Mas que bebessem com moderação. Sugestão de Pausâneas. Em nome da lucidez.

O ritual do vinho era um pacto. Impensável participar desse simpósio sem essa adesão. Condição de cumplicidade.

* * *

128 | XÁ-KU-NÓIS

Sócrates, que chega atrasado ao banquete, é porta-voz da resposta que nos interessa.

Ressalte-se que todos os demais oradores disseram coisas interessantíssimas. O texto integral da obra em português está ao alcance do *mouse* ou do dedo.

— Mas você não disse que o tema era o desejo? Esses caras aí não estão falando sobre o amor?

Sim. Tem razão. Mas veja a resposta de Sócrates. Das mais longevas afirmações da história do pensamento ocidental. Relevante há mais de dois milênios.

O que é o amor? *Eros*, em grego: "o amor é desejo; e o desejo é falta". E, caso você não tenha se ligado, os autores capricham na explicação. "O que não temos, o que não somos, o que nos faz falta, eis o objeto do desejo e do amor."

Viu agora por que insistimos com *O banquete*? Porque embora o tema central seja o amor, a mais importante definição de desejo (de toda a história do pensamento) vem daí.

* * *

Desejo é amor. Porque amor é desejo. São a mesma coisa, portanto. Para Platão.

Você ama tudo que deseja. Todos que deseja. Na intensidade que deseja. Enquanto desejar.

Por outro lado, se o desejo acabar, é porque o amor acabou também.

E desejamos o que não temos. Nem tudo, claro. Nós, os autores deste livro, não temos doença grave. E tampouco a desejamos. A falta é condição necessária, mas não suficiente do desejo.

Desejamos ser o que não somos. De novo. Não somos doentes e não desejamos sê-lo.

Por outro lado, desejamos comer, beber, ler, assistir, beijar, abraçar e qualquer outro verbo que o leitor quiser acrescentar por sua conta e risco. Na intensidade da falta que faz. E enquanto a falta perdurar.

* * *

Podemos estender um pouco a proposta. Se o maior de todos os filósofos nos permitir.

Desejo de ter uma casa com piscina. É típico de quem vive em apartamento sem piscina. Desejo de um apartamento com portaria em condomínio seguro. Para quem tem medo de viver em casa isolada com piscina.

Desejo de gandaiar – cada dia com um ou uma – numa vida de solteiro. Próprio de quem vive nos rigores da monogamia.

Desejo de ter uma pessoa para um relacionamento com maior profundidade, com quem se possa contar em momentos de angústia, que estará sempre ao lado na sífilis ou na tísica... Previsível para um baladeiro solitário na tarde de domingo.

Desejo de ir morar no exterior. Para quem não se achou por aqui. Desejo de voltar para o seu país. Para quem foi discriminado como estrangeiro.

Desejo de ser chefe. Mais do que esperado por parte do subordinado. Desejo de ser chefe do chefe. E uma vez chefe do chefe, de ser o poderoso chefão.

E o leitor astuto e atento pergunta: agora que nada falta ao poderoso chefão, ele nada mais desejará. Certo?

Você é que pensa. O poderoso chefão decide o tempo todo. E tem responsabilidades por isso. Portanto, falta-lhe agora o sossego irresponsável de quem não decide nada, não manda em ninguém e não é responsável por coisa nenhuma.

Eis agora o seu mais profundo desejo. E o seu grande amor também. Viver de boa, estar sussa e não esquentar com nada.

Você entendeu.

Desejo típico de quem manda é o de não ter que mandar, comandar e tomar decisões o tempo todo. De não assumir todas as responsabilidades. De se livrar daquele peso que dia e noite atormenta. Eis o desejo bem provável do poderoso chefão.

* * *

— E o que acontece quando o desejo é satisfeito? Quando você alcança o que desejava?

Ora. Você já usou o tempo certo do verbo. "Desejava." Indicativo de passado. De um pretérito imperfeito e cheio de frustrações.

E ao usar o referido tempo gramatical, nem se deu conta, mas acertou nos dois. No pretérito e no imperfeito.

No pretérito porque o desejo que existia no passado não existe mais.

E no imperfeito porque no caso de desejarmos – isto é, não termos o que queremos –, a vida é frustração.

E no caso de não desejarmos mais, porque agora dispomos do que desejávamos, a vida é tédio. Enfado em estado puro. Elixir de saco cheio. Essência de chatice.

De fato. Para haver felicidade seria preciso ter o que se deseja. Nem tudo, talvez. Mas ao menos um pouco. Caso contrário, a frustração reinaria em plena infelicidade.

Como o desejo – por definição – é falta, só desejamos mesmo o que não temos. Ou seja, nunca temos ou somos aquilo que desejamos. E a vida não foi, não é e não será nunca feliz. Ao menos essa. Regida por Eros e apresentada por Platão.

* * *

Um exemplo.

Até 2015 minha visão era razoável. Coisa de miopia e astigmatismo. Nada que um par de lunetas, com sólida armação tartaruga, não resolvesse.

Eis que por essa época o mundo afiou suas garras. O descolamento de uma retina – agredida por um silicone incompatível – cegou-me a vista direita. E uma escavação pronunciada no nervo óptico comprometeu seriamente a outra. Muito bem. Até o fatídico 2015, enxergar era uma obviedade. Uma presença tão evidentemente presente que nunca dela me dei muita conta. Uma condição de vidente impossível de amar tão aderida à vida que era.

Mas as coisas mudaram. A visão tornou-se ausente. Faltante. E fazendo muita falta. Insisto porque, como vimos acima, há o que falte e não faça nenhuma falta. Como uma caixa de charutos. Ao menos para os autores deste livro. Cada qual saberá de si e de suas faltas.

Desse momento em diante, a visão tornou-se desejável. E muito desejada. Amável. E muito amada. À moda de Platão. Eroticamente. Na condição dramática da impossibilidade. De ver o rosto daqueles que amo.

* * *

Todos os nossos desejos, repito, todos eles, só se apresentam como tais em nossa vida porque temos consciência da nossa finitude. Porque, diferentemente de qualquer outro vivente, sabemos que vamos morrer. E esse final confere valor a tudo que lhe precede.

Assim, nos empenhamos em um projeto. Porque sabemos que pode fracassar. Morrer. Protegemos nossos filhos. Porque conhecemos suas fragilidades. Tomamos conta de nós mesmos. Porque sabemos que a vida está por um fio. Lutamos pelo nosso planeta. Porque temos consciência da nossa capacidade destrutiva e dos riscos que ele está correndo nas nossas mãos.

Na vida humana, só há desejo graças à consciência da finitude. O próprio desejo de viver advém de uma falta ou de uma impossibilidade muito conhecida: a eternidade.

* * *

Antes de definir desejo como falta, Sócrates esclarece aos ouvintes que tudo que vier a dizer não é pensamento original seu. Que sobre as coisas do amor foi instruído, desde moço, por uma mulher: Diotima.

Essa Diotima não é uma mulher comum. É a própria sabedoria. Pensando como um grego, é a virtude masculina elevada à máxima potência.

O que ensinou Diotima a Sócrates? Que o amor é sempre amor pela beleza. Que esse amor não é nem belo nem feio.

Se fosse feio, não saberia nem do que se trata a beleza. Se fosse belo, não iria atrás dela porque já a possuiria em si mesmo.

Eros está no meio do caminho, portanto. Entre o humano e o divino. Entre a beleza e a feiura. Entre a sabedoria e a ignorância.

134 | XÁ-KU-NÓIS

De fato. O ignorante não vai atrás de verdade alguma porque não tem nem ideia dessa possibilidade. E o sábio também não a persegue. Porque já dispõe dela.

* * *

Diotima apresenta o mito do nascimento de Eros.

Os deuses estavam em festa. Grande festa.

Celebravam o nascimento de Afrodite. Deusa da beleza.

Regalavam-se. Em abundância. Em fausto.

Em meio aos convidados, o próprio deus da abundância, Poros. Belo e muito rico. Comeu e bebeu demais, como seria de se esperar. Pôs-se a dormir. Repousar sob uma árvore. No Olimpo.

Furtivamente aproxima-se Pênia. A pobreza. Mulher. Sem casa. Andante. Suja. Malcheirosa. Sem sapatos. Feia.

Ela se depara com Poros em repouso. Imagina abandonar de vez a sua condição. Decide roubar-lhe amor. Fazer-se engravidar à revelia. E logra seu intento. Dessa cópula não consentida (por parte de Poros) nasce Eros. Filho da abundância com a pobreza.

Eros, amor e desejo em Platão, herda um pouco de cada um de seus genitores. Da mãe, a falta. Do pai, a busca da presença. O ímpeto para ter o que não tem. A disposição para ir atrás.

Esse é Eros. Nem resignação, nem opulência. Nem miséria, nem abundância. Nem autocomiseração, nem tédio de enfastiado.

* * *

Lá no começo deste capítulo, dissemos que não era pela falta que gostaríamos de ter começado. Esperamos nos explicar nas linhas que seguem.

Nada impede que possamos desejar ser o que não somos ou ter o que não temos. Mas acredito não residir nesse não ser ou nesse não ter o mais importante. Não considero essa falta o mais essencial no desejo.

E por que não?

Um exemplo poderá nos ajudar.

Um professor universitário leciona na graduação. Recebe por hora-aula. Mas deseja ser pesquisador. Trabalhar na formação de novos pesquisadores. Deseja integrar um programa de pós-graduação com mestrado e doutorado. E, de fato, isso que ele deseja fazer ele ainda não faz.

Para isso ele se prepara. Estuda por conta própria. Faz pesquisa ajudado pelos seus alunos de graduação. Apresenta trabalho em todos os congressos científicos em que é aceito. Converte seu curso em livro. Participa de grupos de estudo. Oferece-se para ajudar na produção de pesquisadores já consolidados. Enfim, não poupa esforços. Faz tudo que pode.

Muito bem. A pergunta que deixamos é a seguinte: onde está o desejo? Onde reside sua materialidade? Onde encontrar a sua positividade?

Estará no posto universitário ainda não ocupado? No contrato de trabalho ainda não assinado? Nas pesquisas ainda não realizadas? Na vida ainda não vivida?

Certamente em nada do que foi mencionado acima. Porque isso tudo pode bem ser o objeto do desejo. Aquilo para o que o desejo se volta. Seu ponto de chegada. Seu limite. Quem sabe até seu fracasso. Afinal, a lista toda, de fato, ainda falta a quem deseja.

Portanto, se o desejo não está no mundo que falta, onde estará?

Ora. Está no mundo que é. No mundo presente. Na realidade concreta das experiências. Na pulsão de quem mobiliza esforços. Na mente de quem imagina. No tesão de quem se já se vê lá.

E o que há nesse mundo?

Encontramos na mente de cada um dos que desejam a imagem daquilo que desejam. E essa imagem é, enquanto imagem, completa. A ela, nada falta. Ela é o que é. Nem mais, nem menos.

Encontramos também esforço. Calorias gastas. Estratégias. Dedicação. Empenho. Luta. Ora, tudo isso também é bem presente. É potência em vias de atualização. É planejamento em vias de implementação.

É em toda essa realidade vivida, nessa presença inequívoca de ação, de pensamento, de escolha, de decisão, de trabalho que flagramos toda a positividade do desejo.

Agora. Se o mundo que consta na mente de quem deseja como sendo o mundo que gostaria de ter, que faria bem, que apeteceria, que agradaria, pois bem, se esse mundo aí ainda não se encontra também em carne e osso como realidade cotidiana, como mundo percebido, como vida de todo dia e encontro de toda hora, isso não basta para fazer da falta a essência do desejo.

Para dizer as coisas mais diretamente.

Entendemos que o desejo seja muito mais a busca real e presente do mundo desejado (que ainda falta a quem deseja) do que esse mundo desejado e buscado porque faz falta a quem o deseja.

O desejo nos parece ser muito mais a realidade e a presença da luta e do empenho de quem deseja do que a falta provisória da sua conquista.

* * *

Essa concepção do desejo como potência de agir, de pensar e até de gozar, que põe ênfase nos recursos mobilizados mais do que no mundo que não coincide com o que se desejaria, não é só nossa.

Não estamos sozinhos nessa.

138 | XÁ-KU-NÓIS

Só para dar um gostinho, o grande Espinosa – um dos maiores de todos os tempos – e todos os seus incontáveis discípulos fazem coro e sairiam em minha defesa, como quem arruma confusão na escola para defender o irmão frágil.

* * *

Cooperar é o nosso problema.

E o dado de que dispomos, por enquanto, é o desejo. Humanos desejam. O tempo todo. Seja na positividade da potência, seja porque querem ser o que não são. Ter o que não têm. Fazer o que não fazem.

Toda proposta de cooperação – ou qualquer outra forma de organização da vida coletiva – que desconsidere o desejo estará tentando fazer omelete sem ovos.

CAPÍTULO 11

Cada um na sua

Este capítulo trata da solidão.

* * *

Presumo a sua surpresa com esse tema. Afinal, estamos a tratar neste livro de cooperação, de relações, de grupos, de confiança entre pessoas. E todos esses assuntos requerem a presença de alguém mais. Pelo menos mais um. O que já bastaria para comprometer qualquer solidão.

Para ser mais explícito:

Se dois indivíduos – ou duas centenas deles – operam juntos, não podem estar sós. Logo, tratar de solidão neste livro equivaleria a inserir um capítulo sobre a economia da Patagônia numa coletânea de trovas portuguesas.

Dir-se-á ainda mais:

Que toda cooperação é uma evidência da nossa sociabilidade; indicativa de que precisamos uns dos outros; de que existimos para viver em grupos organizados; de que somos uma família, um time, uma equipe, uma célula, um espaço de sinergia; de que, sem a devida participação de cada um, o todo sucumbe.

E tudo isso parece excluir em definitivo a ideia de solidão.

Na vida que é a de cada um de nós, outras pessoas surgem por toda parte, o tempo todo. Com seus corpos, seus discursos, suas obras, suas ideias. E muitas dessas pessoas interagem conosco. Nas mais variadas situações.

Portanto, seguindo o que dissemos nos primeiros parágrafos deste capítulo, considerações que, por sinal, sentam no colo do mais imediato senso comum, só fica mesmo sozinho quem quer. Isto é, quem opta por viver nesse estado.

E, ainda assim, mesmo desejando com firmeza estar só, encontraria alguma dificuldade para se manter por muito tempo distante de outros.

Até aqui, tudo bem, tudo certo, nenhuma polêmica à vista. Dadas as evidências da existência humana, a solidão é um assunto fora de propósito. Sobretudo num livro destinado a cuidar de formas particulares de interação profissional.

* * *

"Mas só que não" – diriam hoje meus alunos, quando contestam alguma verdade muito aparente.

— E por quê? – você pergunta.

Não podemos negar que haja muito de verdadeiro em tudo que foi dito acima. De fato, humanos tendem a viver convivendo. A trabalhar colaborando. A agir interagindo. A operar cooperando. A habitar coabitando. Mas nada disso compromete, exclui ou elimina a solidão. De jeito nenhum.

— Você está querendo dizer com isso que a convivência entre as pessoas é quase sempre superficial, com interações pobres? Que embora as pessoas vivam juntas, na verdade pensam só em si mesmas? Que, a despeito das virtudes anunciadas, das boas intenções prometidas e até mesmo das juras de amor eterno, as pessoas tomam as outras por mero instrumento de suas ambições, trampolim para seus prazeres e meio para a satisfação de seus próprios interesses?

Embora tudo que você acaba de dizer marque presença mais do que cotidiana na convivência entre humanos, não era nisso que eu estava pensando ao observar que a presença de outras pessoas e a relação com elas não é incompatível com a solidão de cada um.

— Não?

Não!

— Mas, então, o que está querendo dizer com essa sua solidão?

Refiro-me a algo mais fundamental. Que resulta menos da moral do que dos afetos.

A eventual falta de generosidade, a que você se refere, não denuncia de modo inequívoco a solidão do egoísta. A ação

142 | XÁ-KU-NÓIS

mais ou menos virtuosa, em que pese a relativa estabilidade dos traços de caráter, pode oscilar de situação para situação. Refiro-me a uma solidão necessária. No sentido filosófico de inexorável.

* * *

— Como assim, inexorável?

De acordo com o princípio da necessidade, algo é necessário porque não poderia ser diferente do que é. É necessariamente o que é. E como é. Inexorável, portanto.

— Rola um exemplo?

Até dois.

Dada a presença de nuvens carregadas em profusão, a chuva é inexorável. Choverá necessariamente. Não tem como não chover.

Dada uma redução significativa da capacidade respiratória e dada a indisponibilidade de aparelhos capazes de compensá-la artificialmente, ou a falta de tubos de oxigênio que supram aquela carência, o óbito é inexorável. Não há o que fazer. O indivíduo "virá a óbito". Morrerá.

Aliás, a morte – independentemente da causa – é sempre o exemplo mais esclarecedor quando falamos de inexorabilidade ou necessidade.

* * *

— Nos casos da chuva e do óbito ficou claríssimo. Mas ainda não consigo relacionar isso com a nossa solidão que, para mim, continua sendo eventual.

Vejo que os exemplos trouxeram um ganho de compreensão. Mesmo que ainda não tenham permitido vislumbrar o que estamos pretendendo ensinar.

— Sim. Acho que os exemplos trouxeram ainda mais clareza para a minha incompreensão.

Ótimo. Adorei essa sua fórmula.

Fique tranquilo que não concluiremos este capítulo sem deixar isso muito bem explicadinho, nos seus míííííínimos detalhes, como pedia um humorista da velha guarda. Do tempo dos autores que vos escrevem.

Retomando, então:

Dizíamos que a solidão é necessária. De modo que não há como cogitar a sua ausência. Em nenhum tempo e lugar.

A solidão se impõe. No sentido de ser condição da existência humana. De acompanhar nossa vida do nascimento à cova.

E se impõe a todos nós. Inapelavelmente. Não se trata, portanto, de alguma particularidade psicológica e, menos ainda, de um desvio moral.

Por isso, não podia estar pensando em pessoas mais ou menos egoístas ou generosas. Tampouco naquelas que não dão muita bola para o que os outros estão sentindo. Isso fulminaria a solidão daqueles que dedicam suas vidas a diminuir a dor e o sofrimento do próximo.

Por isso fomos bem incisivos. A solidão se impõe a todos nós. De candidatos a santo a canalhas que despertam revolta no próprio tinhoso.

* * *

O que precisa ficar claro, antes de mais nada, é que a solidão a que me refiro aqui nada tem a ver com a presença de pessoas por perto, mesmo que muitas, interagindo ou não.

Assim, se estivéssemos num estádio de futebol, em dia de clássico e em tempos pré-pandêmicos, com mais 60 ou 70 mil outros torcedores pulando junto, essa existência compacta, espremida e cheia de proximidade tampouco mudaria nossa sina solitária.

Desse modo, no caso de uma cooperativa ou de qualquer outro tipo de processo operativo de funcionalidade interdependente – levado a cabo por mais de um indivíduo –, nada elimina a solidão de nenhum de seus agentes. Mesmo que esse "mais de um" chegue a alguns milhares deles.

Lamento, portanto. Não por nossas vidas inexoravelmente solitárias, claro. De nada adiantaria. As coisas são o que são.

Lamento, sim, pela ingenuidade iludida dos nossos sensos mais comuns.

* * *

— Não entendi. Se quiser me tomar por um bronco, fique à vontade. Não me importo. Já estou me acostumando com as suas ironias. Quero deixar claro que, no meu entendimento, você está exagerando. Pegando pesado mesmo. Não dá para generalizar, sobre essa questão, da solidão como você está propondo. Não preciso pensar muito para encontrar incontáveis contraexemplos. Em muitos lugares que frequento, inclusive o do meu trabalho, não vejo solidão alguma. Pelo contrário. A galera não se desgruda. Trampa junto, sai junto, fica junto e ainda quer mais. Eu mesmo, que costumo ficar mais na minha, sinto-me superintegrado, em sintonia, numa *vibe* de grupo mesmo.

* * *

Bem. Para começar, nós, autores, acreditamos que estar ciente da própria ignorância é o primeiro e decisivo passo para algum progresso nas atividades do espírito.

Servindo-nos dos seus termos, saber-se bronco é condição para deixar de sê-lo um dia, ainda que só parcialmente. Deixando claro que não há nenhuma garantia de que isso aconteça. Saber-se ignorante é, portanto, condição necessária mas não suficiente para mudar de estatuto cognitivo.

Em segundo lugar, a solidão de que estou falando não resulta de uma circunstância da vida.

— Como assim?

Quando afirmo que a solidão é condição da existência, não estou dizendo que uns e outros se sentem sozinhos quando a festa acaba, por exemplo. Ou quando vai todo mundo embora; quando o ano escolar termina; quando os filhos crescem, casam-se e deixam o lar.

Não se trata, portanto, de, circunstancialmente, experimentar a solidão.

Não é nada disso.

— Então, se não é isso, o que é?

Quero dizer que a nossa solidão nos acompanha o tempo todo. Duzentos por cento do tempo. Do nascimento à cova. Durante a balada. Na viagem de formatura. Na arquibancada do estádio, comemorando o gol do seu time. No altar, celebrando o seu matrimônio. Em meio aos lençóis.

Não se trata, portanto, de se sentir sozinho só de vez em quando.

Reitero, portanto, sem medo de entediar, que a solidão é condição da nossa existência. Para todos. Em qualquer tempo e lugar.

Você vive necessariamente só. E nós, os autores deste livro, também.

Portanto, minha hipótese, copiada de Espinosa, é muito mais radical.

— Mas isso parece muito absurdo. E aposto que não só a mim. Portanto, acho que você vai ter que começar a se explicar quanto antes.

* * *

Solidão não se confunde com isolamento. Esse último é ausência de proximidade, de relação, de laços, de interação. Trata-se de ocorrência circunstancial e infeliz na vida. E relativamente excepcional porque somos sociáveis. Já a primeira, a solidão, não é nem de circunstância, nem de exceção. Ela é desde sempre e para sempre. É exigência. O preço a pagar por existir.

* * *

Podemos partir de situações concretas de vida.

No dentista, há dor. Essa dor só você, que foi obturar uma cárie, sente. Ele, que controla a broca, que dá causa a essa dor, não sente dor alguma. Talvez pena, quem sabe tédio.

Será por qual motivo que dentistas acabam se convertendo em pessoas insensíveis?

De jeito nenhum. Nem que quisesse, o seu obturador não poderia sentir o que você está sentindo.

Cada qual com suas dores, diziam as nossas mães. A cada dia a sua dor, diziam antes nossas avós.

— E o que isso de o dentista não sentir a dor que causa tem a ver com solidão?

Ora. Pense bem. Se ninguém nunca pode sentir o que estamos sentindo, se nossas tristezas são só nossas, nossas alegrias, dores e esperanças também, como poderíamos não estar sós, ainda que com muita gente em volta?

* * *

Outro exemplo: um simples aperto de mão. Cumprimento de outros tempos. Nele há toque. Palma com palma. Os dedos apertam o dorso da mão do outro. Uns apertam mais, outros menos, e outros ainda quase nada. Uns estendem a mão com entusiasmo. Outros não escondem o desdém. Tem de tudo. Há infinitas formas de saudar com um aperto de mão.

Pergunto se, no exato instante do contato entre as mãos, você está sentindo a mão do outro. Por exemplo, apertando a sua com vigor. Ou molhada de suor. Ou quente de um estado febril. Ou ainda trêmula de frio.

Então. O que me responde? Num aperto de mão você sente ou não a mão de quem está a cumprimentar? A pressão que ela exerce, a temperatura, a umidade, a suavidade da pele ou, pelo contrário, a calosidade de quem pega duro no cabo da enxada e não é de hoje.

No caso de ter dito que sim, temos a oportunidade de um esclarecimento decisivo para a compreensão da tese deste capítulo.

Pode parecer um simples preciosismo. Uma besteira mesmo. Mas não é. Longe disso.

Clóvis de Barros Filho e Geraldo Trindade | **149**

* * *

Em face da pergunta feita, observamos que nunca, em momento algum, sentimos ou sentiremos a mão de quem quer que seja. Mas tão somente a nossa.

É isso mesmo. Só podemos sentir a nossa mão. Onde se encontram as terminações nervosas do nosso corpo. As que nos permitem senti-lo ante todo e qualquer tipo de estímulo do mundo.

Desse modo, quando alguém aperta nossa mão, o que sentimos é essa última, a nossa mão, apertada pela mão do outro. Cada qual sente sua própria mão cumprimentada pela mão quente, fria, molhada, trêmula de alguém. Se cumprimentarmos uma pessoa trêmula de frio, sentiremos sempre a nossa mão afetada pelo gelo da sua mão.

Ao colidir a canela com a quina de uma mesa de centro, a dor que sentimos é coisa da nossa canela. A sensação é de canela, não de mesa de centro. E mesmo que tenhamos partido a mesa ao meio, é apenas dor de canela que sentimos.

O que sentimos é sempre o efeito que o mundo determina sobre o nosso corpo. Por isso mesmo, nunca sentiremos a sua causa. Estamos condenados a perceber o mundo por intermédio do modo como esse nos afeta.

A mão que aperta a nossa, a mesa que agride a canela, o beijo que lambuza nossa boca, o tapa que deixa marca, tudo que for mundo fora de nós só será percebido por nós à medida que afete o corpo de cada um de nós.

Não é possível sentir a mão do outro na mão do outro, mas sim a mão do outro em nós, isto é, pelo modo como nos aborda. Da mesma forma, não é possível sentir a cadeira se não pelo modo como cutuca nossos glúteos.

* * *

E o sabor do morango, então?

Há quem pense que o sabor do morango, esse mesmo que sentimos ao degustá-lo, é coisa do morango e ponto-final. Que o gosto do morango é simples e absolutamente imposto pelo morango como um atributo da fruta uniforme a qualquer degustador.

Ora. De jeito nenhum. O sabor do morango resulta do modo como o morango afeta nossas papilas. Tanto é assim que em caso de covid, que empobrece nosso paladar, deixa-mo-nos afetar diferentemente pelas iguarias, de modo a não perceber seus sabores como antes.

Prova maior não há de que todos os sabores são coisa nossa, do nosso corpo, estimulado por esse ou aquele mundo culinário.

Por isso mesmo, nunca poderemos saber ao certo o que outras pessoas estão sentindo como gosto daquilo que estão a comer. Mesmo que estejam a comer o mesmo que nós.

Isso porque, como não compartilhamos o mesmo corpo, como as células que nos constituem não integram o corpo de mais ninguém, o resultado do encontro dessas com o morango, o quiabo, a vagem ou a mandioca será sempre incerto para nós.

Tanto mais que para nos dar algum esclarecimento, terão pobres e singelas meia dúzia de palavras muito pouco aptas a elucidar esses afetos.

* * *

Mais um exemplo de temperatura e preocupações familiares.

A mãe, preocupada, põe a mão na testa do filho e diz:

— Tô achando você meio quente!

— Mas ninguém sente o calor do corpo do outro. Nem mesmo a mais amorosa das mães. Só o filho sente sua própria febre.

O que a mãe sentiu foi o calor da própria mão. Ensejado pelo contato com o corpo quente do filho.

* * *

Morre a mãe de seu amigo. Ele sofre.

Você também sofre. Em parte porque gostava da tia de toda a vida. Em parte pelo sofrimento do amigo. Mas o sofrimento dele, só ele sente. Por outro lado, o que você está sentindo só você sente. Não conseguirá sentir a tristeza do outro. Nem que quisesse.

Só mesmo a sua.

* * *

Depois do dentista e do velório, um exemplo mais prazeroso. Numa transa. Você dá causa ao orgasmo do outro. O que ele sentiu você jamais sentirá. E se disser que ficou feliz com o prazer do outro, do amado, sabe bem que uma coisa é o orgasmo sentido pelo outro, e outra coisa, bem diferente, é a alegria de tê-lo proporcionado.

* * *

Aulas de ética na faculdade. Foram mais de trinta anos como docente da disciplina em faculdades de Comunicação. Para alguns alunos, um desbunde. Para outros, um tédio absoluto: pedágio para chegar ao diploma. O que cada aluno sentiu ao longo de todas as minhas aulas jamais sentirei. Portanto, jamais saberei.

Sei o que eles me disseram. Mas o leitor haverá de concordar: entre sentir uma sensação boa e dizer que gostou da aula, nossa, sabe-se lá qual a relação. Pobres palavras para dar conta da infinita complexidade dos afetos que são os de cada um.

* * *

A organização com a qual você colabora obtém uma grande vitória. Um resultado muito expressivo. Difícil de ser alcançado. Um êxito coletivo. Articula-se um evento de celebração. Todos os colaboradores são convidados. Discurso dos diretores, palestra do professor Clóvis sobre a vida que vale a pena ser vivida e, finalmente, um jantar para os familiares também. Há uma presunção de contentamento generalizado.

Mas essa avaliação é bem pobre. Aproximativa. Em que pese estarem todos numa celebração, o contexto não assegura padrão afetivo algum.

Haverá os genuinamente alegres, potencializados, com sensação de dever cumprido.

Mas haverá também quem tenha vindo só para comer. Quem não se deixe afetar positivamente por êxitos que não sejam estritamente pessoais.

Haverá quem não goste de eventos assim. Por experiências anteriores semelhantes e entristecedoras.

Haverá quem tenha trazido o cônjuge por um protocolo social, mas gostaria de estar alhures e na companhia de outrem.

E paro por aqui, porque as páginas, tão curtas, não dão conta de tanta diversidade.

* * *

A mesma palavra dura do chefe que produz tanto amargor para um traz segurança para o outro.

A mesma beterraba tem o gosto que seus corpos degustadores lhe atribuem. Questão de papila. Da língua de cada um. E de momento. As papilas de hoje proporcionarão um gosto diferente do de amanhã. Porque seu nariz entupiu durante a noite.

* * *

Você entendeu. A solidão deste Capítulo 11 não tem nada a ver com a presença de outras pessoas por perto.

Denuncia a impossibilidade de compartilhamento da vida afetiva. De sentir o que o outro sente.

Mundo inacessível. Por definição. A tristeza do luto alheio. O prazer do orgasmo alheio. A dor da injeção alheia. A felicidade do nascimento do filho alheio. A excitação do marido pela mulher alheia. Ou da mulher pelo marido que é o dela.

* * *

Motoristas de táxi, nossos irmãos, estão sós na infinita promiscuidade das grandes cidades. Homens e mulheres sem rosto que velam por suas panelas no interior de uma cozinha de restaurante ajudam a vida a continuar, em sua humildade.

Enquanto isso, cada qual, a seu modo, encontra a cada Carnaval este secreto encanto de todas as festas: o da difícil e nobre arte de descobrir-se só.

* * *

— E por que é importante para quem coopera pensar nessa condição solitária da existência?

Para evitar expectativas absurdas.

Não há o que esperar do outro o que ele não pode sentir. Sob pena de constrangê-lo ao fingimento. Se a sua expectativa em relação a quem quer que seja é que ele sinta o que você está sentindo, saiba, isso não pode acontecer.

E mesmo que esse outro diga que se encontra tão feliz ou tão devastado quanto você, a intenção poderá ser a melhor, a vontade é boa, mas a declaração é falsa. Saiba ele disso ou não.

Na hora de empreender, isto é, mobilizar recursos com vistas à realização de um projeto, raramente isso se fará no isolamento absoluto. Até Robinson Crusoé – na ilha deserta – tinha um parceiro/escravo, Sexta-Feira.

* * *

Todo empreendedor é afetado por alegrias e tristezas de percurso. Mas, sobretudo, seus afetos são determinados por suas projeções. Pelo devir imaginado. Pelo futuro concebido no espírito. Pelo que está por vir. Pelo sucesso antecipado na mente. Pelo fracasso possível e suas consequências.

Esses afetos que têm por causa o mundo imaginado são de dois tipos. Os que nos põem para cima – afetos de esperança – e os que nos põem para baixo – afetos de temor. O leitor terá entendido. Esses afetos se dão na incerteza, ou na ignorância, em relação ao mundo, aos fatos, às ocorrências.

Assim, ora supomos um mundo vindouro favorável e nos enchemos de esperança, ora concebemos ocorrências não desejadas e, nesse caso, o que sentimos é medo mesmo. Enquanto o mundo imaginado não chega e resolve a parada com as suas certezas percebidas, oscilaremos entre o temor e a esperança.

* * *

Muito bem. Sendo vários empreendedores envolvidos na implementação do mesmo projeto, isto é, cooperando, não há que esperar afetações idênticas ante as ocorrências do mundo. Haveria níveis de alegria e tristeza muito diferentes. Da mesma forma, uns se deixarão afetar mais pelas próprias suposições – e se excitarão com possibilidades alvissareiras, bem como se abaterão com outras mais sombrias.

* * *

Esses afetos são determinantes das reações. Das iniciativas. Das tomadas de posição. Bem como das eventuais virtudes nelas envolvidas. Mais arrojo e coragem têm a ver com menos temor ou maior resistência a ele. Mais prudência tem a ver com mais temor – possivelmente advindo de maior lucidez e capacidade de antecipação de possibilidades nefastas.

Portanto, você que coopera. E que muitas vezes espera dos demais cooperadores um entusiasmo, uma motivação, com sangue nos olhos, faca nos dentes e todo o resto do jargão motivacional, deveria a partir de hoje considerar que somos ilhas afetivas. Que nossos afetos obedecem a variáveis inerentes ao mais profundo de cada um de nós mesmos.

E que, portanto, se os outros não parecem tão empolgados quanto você, não vale a pena se estressar. Blasfemar. Sugerir que são uns pamonhas. Uns derrotados. Uns frouxos. Porque nada disso será muito eficaz.

Quanto maior a sabedoria, maior o respeito à diversidade. De pontos de vista, com certeza. Mas também de afetos, de emoções e de sensações. Até porque aqueles primeiros estão irremediavelmente vinculados a esses últimos.

CAPÍTULO 12

No princípio havia um princípio

*Uma cooperação pode – e, para muitos,
deve – ser regida por princípios.
Eis o tema deste capítulo.*

* * *

As primeiras páginas serão dedicadas a princípios entendidos genericamente. Porque os há para as coisas do universo bem como para tudo que o homem pretenda implementar. Da física quântica, cinemática e química orgânica até a administração, marketing, direito tributário e comércio exterior. São só alguns dos infinitos exemplos cabíveis aqui.

Logo, em se tratando de uma teoria geral dos princípios, não poderemos escapar de abstrações. E todos sabemos que elas não configuram o caminho mais fácil para uma leitura divertida.

— De fato, tem tudo para ser uma chatice!

A sedução mais fácil costuma requerer relatos. Experiências de vida vivida. Personagens de carne e osso, com nome e endereço, bem como situações e cenários de imaginação imediata. Mas serão só algumas páginas. Com a promessa de que jogarão luz e esclarecimento sobre como decidir em situações sinuosas, de sinuca, dilema, impasse ou mesmo sem saída.

* * *

Quando deparamos com essa palavra, princípio, pode nos vir à mente um de seus significados mais imediatos: o começo.

No Evangelho de São João lemos logo nas primeiras linhas que "no princípio era o verbo". O autor refere-se ao logos. À linguagem, ao discurso e à razão. Só mais tarde esse verbo "se fez carne e habitou entre nós".

Ora, o princípio citado por João nada tem a ver com estruturas gramaticais. Menos ainda com o que é necessário respeitar para construir adequadamente uma frase.

O princípio citado pelo evangelista aponta para os primórdios do mundo. Seus primeiros instantes de existência.

Na teogonia de Hesíodo, o princípio era o Caos. O deus Caos. Concebido no relato mitológico como uma queda livre escura, lúgubre e sem-fim.

Tal como no exemplo bíblico, estamos a falar dos começos. De quando não havia mais nada. Do primeiro deus. Que deve ter curtido sua solidão por muito tempo. Até o aparecimento de Gaia, que veio lhe fazer companhia e trazer um pouco de chão para tanto despencar.

* * *

Da mesma forma, toda cooperação tem um começo. E é importante ter algumas coisas claras desde então.

A sabedoria popular é pródiga na denúncia dos riscos de um começo inadequado:

— Pau que nasce torto não cresce direito.

— É de pequenino que se torce o pepino.

Mas o que de tão importante precisaria estar presente desde os primeiros passos na hora de cooperar?

Ora. Um jeito adequado de as coisas funcionarem.

O que implica dispor de referências para a ação dos cooperados. Quem decide o quê? Quem manda, quem obedece nos distintos cenários, até onde vai a autonomia de cada um, quais os limites da ação de cada um, quais são as regras a respeitar.

Antes disso, contudo, é preciso ter em mente quais são os propósitos daquela cooperação. Onde querem seus cooperados chegar com tudo aquilo. Que transformações de mundo valeriam tantas penas, compensariam tantas dores, recompensariam tantos esforços.

Só essa definição prévia permitirá identificar os melhores caminhos.

* * *

Propósitos, estrutura, funcionamento, fluxos e processos, regras de conduta, limites de ação na hora de interagir, tudo isso é mesmo muito importante definir antes de começar.

Mas o princípio de uma iniciativa desse tipo cobra definição sobre algo mais. Os fundadores de uma cooperação devem também discutir e pactuar, antes mesmo de dar os primeiros passos, a respeito de tudo aquilo que coletivamente consideram inalienável.

Isso equivale a tudo aquilo a que não estarão dispostos a renunciar, de jeito nenhum, em circunstância alguma, seja qual for a gravidade das condições ou o ganho prometido em caso de vistas grossas.

Tudo isso que, desde o princípio, for considerado inegociável, o será de modo absoluto. Categórico. O que significa em qualquer situação. Sem exceções de nenhum tipo. Mesmo que o respeito ao estabelecido venha a comprometer a própria sobrevivência daquela iniciativa.

Tudo que for tomado por inalienável desde o princípio é o que doravante denominaremos princípio, nesse segundo sentido, que não é mais o de simples começo, mas que, desde o começo, se apresenta, de modo absoluto, como referência de deliberação, decisão e ação.

* * *

Para que essas reflexões a respeito dos princípios cooperativos possa ganhar clareza, devemos fazer como sempre. Começar do mais simples, pegando o leitor pela mão e subindo degrau a degrau.

Então, mãos à obra!

* * *

Dizer que alguém não tem princípios nunca é elogio. Mas o que significa ter princípios?

Recuemos um passo. Às vezes, é conveniente.

Será que princípio é algo que se possa ter?

Talvez o verbo ter não seja mesmo o mais indicado. Afinal, princípios não são objeto de posse ou de propriedade.

Desse modo, melhor seria – no lugar de "ter princípios" – respeitá-los na hora de deliberar, decidir e agir.

Eis que você, nobre leitor, um pouco enfadado com o que considera esses primeiros parágrafos uma lenga-lenga – ou encheção de linguiça – que não leva a parte alguma, resolve bater na mesa e exigir explicações objetivas e rápidas.

— Mas quais são esses princípios? Sempre existiram? Onde foram propostos? Por quem? Por que devem se impor absolutamente? De onde tiram tanta força? Caramba. Isso não é uma leitura. É um bombardeio. Se você não dominar essa sua ansiedade, terminará por nos levar a todos ao afogamento. Confie em mim. Estamos atravessando uma região de muita correnteza. Mas de extraordinária beleza. Por isso, não sei se vale tanto a pena acelerar.

Lembre-se sempre de: toda vez que ler "princípios do cooperativismo" admita que, para que a expressão ganhe sentido pleno, é preciso ter uma vaga ideia do que são princípios, não acha?

Caso contrário, faremos como muitos outros, que repetem à exaustão fórmulas decoradas e acabam morrendo sem saber direito o que passaram a vida inteira a dizer com grande convicção.

* * *

Não há dúvida de que num livro sobre cooperação, interessa mais de perto tudo que tem a ver com a ação humana. E essas podem, de fato, resultar da aplicação de um princípio.

Mas é preciso sempre ter em mente: princípios não são só referência para a ação humana. Porque nem todo princípio pertence ao campo da moralidade. Isto é, nem todo princípio é uma questão moral.

Um princípio pode ser um ponto de partida teórico ou prático. No primeiro caso, teórico, trata-se do pontapé inicial de um raciocínio. Cujo único escopo é o conhecimento acurado de algo. No segundo caso, prático, o pontapé inicial é o de uma tomada de decisão. Que, por sua vez, visa identificar a ação mais adequada.

Todo princípio é indemonstrável. Porque se demonstrável fosse, confundir-se-ia com um teorema.

Se seu curso de matemática no Ensino Médio tiver honrado o programa dos vestibulares mais exigentes, você certamente enfrentou os principais teoremas da geometria descritiva. Nesse caso, terá se dado conta de que é da própria natureza da demonstração, isto é, inerente a todas elas, partir de um princípio, ele mesmo indemonstrável.

Em outras palavras, todo princípio é um ponto de partida a partir do qual se fazem inferências, mas em relação ao qual dispensam-se demonstrações.

Um princípio não se confunde com um axioma ou um postulado. Porque esses últimos integram simplesmente exercícios hipotético-dedutivos. Ao passo que os primeiros, os princípios, também podem pautar decisões, estratégias, encaminhamentos, protocolos, procedimentos e tudo que organiza a vida prática.

* * *

Algumas palavras a mais sobre esse viés deliberativo dos princípios.

Se todo princípio é indemonstrável, também o são os princípios práticos. A partir dos quais infere-se a melhor ação. De modo que, quando na tomada de uma decisão, procedimento intelectivo assumido terá sempre esta estrutura:

- Dada uma situação de fato (F) verificada empiricamente.
- Dado o princípio (P) indemonstrável que servirá de referência ao agente decisório.
- Dada a necessidade de deliberar, decidir e agir, ainda que seja pela total omissão.
- Dadas as possibilidades práticas aventadas em deliberação para a referida situação.
- A observância do princípio – por exclusão ou adequação positiva – leva o agente à decisão (D).

* * *

Os princípios práticos podem assumir vários matizes: moral, político e jurídico.

Os dois primeiros merecerão mais da nossa atenção.

Não voltaremos aos princípios jurídicos.

Resta observar que o estudante de Direito seria mais feliz se, quando no estudo das diversas disciplinas, na hora de se debruçar sobre os princípios gerais do Direito, do direito civil, do direito penal, do processo, do direito tributário, do direito administrativo e por aí vai, ele tivesse tido um esclarecimento prévio sobre a natureza de um princípio qualquer.

* * *

Todo princípio prático pode ser entendido como o meio caminho entre uma virtude e a materialidade da ação.

Um exemplo sempre ajuda.

- Generosidade é uma virtude.
- Por princípio, ofereço comida a quem tem fome.
- Ontem mesmo, na porta de um supermercado, uma senhora me pediu um pacote de pão de forma e um pouco de mortadela para comer com o filho de uns 5 anos.

Outro exemplo.

- Honestidade é uma virtude.
- Por princípio, não pego nada que não seja meu. Nem mesmo para um simples uso imediato.
- Encontrei num dia desses uma carteira com documentos e algum dinheiro no assento do trem do metrô. Desci na primeira estação e procurei um funcionário da companhia para entregar-lhe o achado.

Terceiro exemplo. Não fique bravo. Cada um vai no seu ritmo. Se você já entendeu, fique à vontade para pular.

- Humildade é uma virtude.
- Por princípio, não me gabo de alguma competência ou desempenho entendido por destacado. Por princípio, destaco minhas fragilidades.
- Em entrevista recente para o apresentador Marcelo Tas, enfatizei a pobreza dos meus recursos estilísticos para escrever os conteúdos daquilo que ensino.

* * *

Os princípios são ferramentas da consciência. São recursos da moral. Não da ética.

— Nessa eu boiei legal.

Então, venha comigo. A ética é a inteligência compartilhada em busca do aperfeiçoamento da convivência. Trata-se de uma iniciativa circunscrita a espaços específicos onde essa convivência se dá.

Assim, temos éticas profissionais, como a dos médicos, a dos advogados; éticas corporativas, como desta ou daquela empresa; e até mesmo éticas de unidades políticas, como de um município ou país.

Na ética discutem-se valores daquela convivência. Como o aprendizado (entre estudantes); a criação (entre artistas e intelectuais); o preparo físico (entre atletas) etc.

Com base nos valores específicos daquele espaço de convivência definem-se regras de conduta. Válidas para esse caso específico.

Algumas dessas regras incidem sobre segmentos específicos de atividades. Regras de um jogo de futebol. Só se aplicam a quem joga futebol. Mas a todos que jogam futebol.

Outras, sobre organizações. Como as cooperativas. As regras de uma empresa. Só incidem sobre seus sócios. Todos eles.

Outras ainda têm o estatuto de normas jurídicas. Como as leis de um país. Que só se aplicam naquele país. Mas também devem se aplicar a todos os habitantes.

* * *

Você está me acompanhando?

— Até aqui está claro. Vejamos agora a moral.

Para discriminá-la da ética, podemos pensar em regras que se aplicam a todos. Não porque estejam jogando futebol, trabalhando nesta ou naquela empresa ou vivendo neste ou naquele país.

Mas porque são pessoas.

Para distingui-las de todas as outras anteriores, vamos chamá-las de princípios.

Por isso a moral é uma só. E a ética, tantas quantas forem as iniciativas de reflexão e normatização da convivência de um universo social específico.

* * *

Que tal, como exemplo, começarmos com um de grande envergadura na história do pensamento? Por princípio, tratar os outros tal como gostaria de ser tratado.

Chamado regra de ouro da conduta humana.

Não se trata de não agredir por pena. Menos ainda para não sofrer as consequências de uma eventual reação.

Trata-se de um princípio. Questão de consciência, portanto.

Você entendeu agora? Por que o princípio é sempre uma questão moral?

— Opa. Agora ficou cristalino. Valeu!

* * *

Se você faz algo "por princípio", é porque deve ter um bom motivo para isso.

E o melhor motivo para que você aja desta ou daquela maneira é justamente este: que todos também deveriam fazê-lo.

Se eu afirmo agir desta ou daquela maneira "por princípio", é porque suponho que qualquer um – em situação análoga – deva agir da mesma maneira.

* * *

Se até aqui tudo parece meio fácil de entender, na hora de considerar a vida do dia a dia, a identificação de princípios pode se complicar. Bastante até.

Pelo que dissemos até agora, quais das afirmações abaixo te parecem pertinentes e quais são descabidas?

- Eu, por princípio, quando vou à sorveteria, peço sorvete de morango.
- Por princípio, nunca tomo café da manhã.
- Por princípio, faço jejum todas as manhãs.
- Por princípio, não assisto à televisão.
- Por princípio, não pago para assistir à televisão.
- Por princípio, não tenho relações íntimas no primeiro encontro.
- Por princípio, não como carne.
- Por princípio, não como carne à noite.

* * *

Essa avaliação – de cada uma das afirmações acima – pode parecer bastante óbvia. Nenhuma delas tem cara de princípio.

Porque todas soam, num primeiro momento, como simples preferências. Tomar sorvete de morango, não tomar café, não comer carne à noite... No entanto, em cada caso é possível problematizar. O morango. De fato, pode ser uma simples preferência. Nesse caso, não se trata de um princípio. Se for pela vitamina C, continua sendo um problema seu, carente dela. Você poderia argumentar que todos precisam de vitamina C. E que a alimentação nos dias de hoje não é rica dessa. E que a economia da sua região depende do consumo de morangos.

Da mesma forma, não tomar café da manhã pode resultar de uma decisão – muito particular – de dieta, sugerida pela teoria do jejum intermitente. Nesse caso, é só um sobrepeso seu. Não tem nada de princípio.

Mas a razão para não tomar café pode ser outra. O preço da iguaria não lhe parece justo. E você, por princípio, não aceita consumir o que tem preço abusivo. E crê que essa deveria ser uma postura de todos. Para inibir a ação de gananciosos e inescrupulosos. Agora, trata-se de um princípio. Ainda que não sejam muitos a segui-lo.

* * *

A cooperação tem regras. São específicas a setores de atividade, a esta ou aquela cooperativa. Mas tem também princípios.

172 | XÁ-KU-NÓIS

Que dizem respeito a qualquer um que se disponha a fazer da cooperação o mote principal de seu agir.

Chamamos de cooperativismo a convicção compartilhada de que a vida em cooperação é valor que deve triunfar sobre qualquer outro que possa desmenti-lo.

Daí as cooperativas preservarem a doutrina cooperativista, que valoriza mais as pessoas do que o capital. Nela encontram fundamentos, princípios de conduta e valores, que são: adesão voluntária e livre; gestão democrática pelos membros; participação econômica destes; autonomia e independência; educação, formação e informação; interesse genuíno pela comunidade.

CAPÍTULO 13

O jeito agora é o seguinte

O tema deste capítulo é liberdade.

* * *

Sem alguma reflexão sobre o tema, não podemos trazer nada de consistente sobre iniciativa, proatividade, espírito de dono, empoderamento e tantas outras expressões que circulam no mundo profissional e a ele remetem, com maior ou menor pertinência.

A liberdade é uma questão dita metafísica. Isso porque supostamente vai além da física. E por que será? O enfrentamento do tema é dos mais espinhosos. E, por isso mesmo, dos mais promissores.

Vamos propor chegar ao assunto como quem não quer nada. Entrando por uma porta lateral. Para não chamarmos muita atenção. Quem sabe, desse modo, pegamos o assunto desprevenido. Se hesitar alguns segundos em mostrar suas garras, quem sabe não avançamos alguns passos em paz.

Venha conosco. Vamos precisar de toda a atenção agora.

* * *

Quando Agostinho fala sobre o tempo, no livro XI das *Confissões*, começa de um jeito muito curioso.

Diz ele que sabe muito bem o que é o tempo. Até que alguém lhe pergunte a respeito. Assim que isso acontece, e ele se vê obrigado a se manifestar sobre o assunto, aí Agostinho já não sabe mais do que se trata.

Sobre liberdade, proponho algo parecido.

Os autores deste livro, Geraldo e Clóvis, se sentem aqui muito próximos de Agostinho. Mas não vá pensar bobagem. O filósofo africano foi um dos maiores pensadores da história da humanidade. E os autores deste livro são meros divulgadores sem pretensão.

Nossa proximidade, portanto, se restringe ao fato de também não termos a menor ideia daquilo que antes acreditávamos saber com clareza. No caso, a ideia de liberdade.

Seguindo o mestre:

Enquanto for para viver, escolhendo, decidindo, deliberando, selecionando caminhos, diagnosticando cenários para se inserir e outros a evitar, a liberdade é um dado da vida vivida e ponto. Mas na hora em que alguém pede para falar a respeito, toda essa obviedade cai por terra. Tudo que parecia da esfera do evidente torna-se turvo e de difícil tradução em discurso.

* * *

Aqui não temos saída. Porque a escolha é um princípio para a integração cooperativista. Porque a liberdade é condição do seu funcionamento. Resta-nos enfrentar o tema. Não há como escapar. Não somos livres para ignorá-lo. Estamos, portanto, condenados a enfrentá-lo.

Claro que toda cooperação também resulta de constrangimentos impostos pelas condições materiais de vida.

Porém, neste Capítulo 13, vamos nos interessar por tudo que na cooperação resulta de uma escolha. Eis um dos princípios essenciais do cooperativismo. O cooperado deve sê-lo por uma deliberação de vontade.

* * *

A liberdade desperta paixões.

Nos escravos, o desejo afirmativo da própria libertação. Nos déspotas, o desejo de conservá-la como privilégio de alguns. E de restringi-la, quanto der, aos demais. Nos artistas, o tesão criativo. Nos empreendedores, o tesão inovador.

E nos filósofos, o tesão de conceituar.

176 | XÁ-KU-NÓIS

Aproveitando o ensejo, no que diz respeito à liberdade – e também a muitos outros temas –, nunca houve entre esses últimos muita concordância.

Para uns, liberdade é fazer o que se quer. Para outros, resume-se ao movimento dos corpos. Para terceiros, trata-se de pensar como se quer. Para quartos, é livre quem diz o que pensa e o que sente. Para quintos, liberdade corresponde a poder imaginar livremente.

Para sextos, apenas uma ilusão. Ou uma ignorância de tudo que determina. Para sétimos, liberdade é a plena manifestação da própria potência, nada tendo a ver com o livre-arbítrio ou com a liberdade de escolha. Para oitavos, a mesma liberdade é inerente à existência humana, que se impõe na hora de existir. Para nonos, é uma questão de vontade, que discrimina o humano do resto dos viventes.

E fico por aqui. Afinal, ninguém merece tanta dispersão e incerteza.

* * *

Arnold Gehlen – em seu *O homem, sua natureza e sua posição no mundo* – avalia a forma como os humanos se veem, se observam, se definem, se interpretam.

O autor observa que há dois entendimentos dominantes a respeito da origem dos humanos. A primeira é divina. Um homem que provém de Deus e é, digamos, elaborado à sua imagem e semelhança. A segunda é animal. A descendência de símios superiores é hoje a origem mais aceita desse segundo tipo.

Gehlen conclui que homens e mulheres nunca são compreendidos a partir de si mesmos. Só podendo ser descritos ou interpretados a partir de categorias que lhe sejam exteriores.

E continua.

Se tomarmos o homem por si mesmo, trata-se de um ser que age. Que quer fazer coisas e faz coisas que quer.

* * *

Você pondera que esse agir não é exclusividade de humanos. Que os animais também fazem muita coisa.

Propomos, como já destacado amplamente em capítulos anteriores, que o agir humano é diferente de tudo que você vê os animais fazendo. Enquanto esses são absolutamente regidos pela sua natureza, pelo seu instinto, homens e mulheres, ao agir, vão além da sua natureza. Muito além.

Assim, não se confunde com perseguir outro animal para se alimentar com fugir para não ser comido, com procurar um lugar adequado para se abrigar.

O humano age em projeto. Em projeção. Com a participação do intelecto. Que imagina o devir. Que define aonde deseja chegar. E que avalia imediatamente a mão. Os meios para alcançá-lo. Um agir que supõe possibilidades. Probabilidades. Muito longe da mera execução de um programa definido pela natureza instintiva.

Se nossa vida biológica – sistemas circulatório, respiratório, digestório etc. – é tão programada quanto a de um javali, nossa vida espiritual é arejada por uma competência simbólica que faculta a articulação de ideias e antecipações probabilísticas com riscos calculados e inovações atrevidas.

* * *

O existir propriamente humano no mundo tem sua origem na ação. Esta dá origem ao humano. Essa convicção levou Aristóteles a propor a conhecidíssima distinção entre *práxis* e *poiesis*.

A *poiesis* é a produção. É agir intervindo no mundo, fazendo existir o que não existia antes dessa intervenção. É dar origem a algo.

A atividade de homens e mulheres, seus movimentos, suas decisões, suas ações não esgotam em si mesmas todo o seu valor. Valem também pelo produto. Até porque esse último ainda permanece mesmo quando a atividade acaba.

Desse modo, toda *poiesis*, toda produção tem um fim outro que ela mesma. Não produzimos por produzir. E sim pelo que resulta da produção. Que lhe é alheio. E que com ela não se confunde.

Assim, este livro que ora jaz em suas mãos, esteja você onde estiver, não se confunde com o ato de escrevê-lo, a bordo de uma aeronave a caminho de Porto Alegre. Como o som comprido da vibração da corda não se confunde com o dedilhar que lhe deu causa. Ou a camiseta que também não é o trabalho explorado que lhe permite existir. Entendida a *poiesis*, passemos à *práxis*.

* * *

A *práxis* é a ação. A atividade que esgota nela mesma seu valor. A ação vale pela ação. A atividade é em si mesma seu próprio fim.

Segundo a metafísica de Aristóteles, é perfeito tudo que não carece de mais nada. Que não tem nenhuma de suas partes fora de si.

Ora, as ações perfeitas se caracterizam quando o fim último é o próprio exercício da faculdade. Por exemplo: o ver, pois o fim da vista é a visão. Não se produz nenhuma obra diferente da vista. Ao contrário.

Em outros casos, em que se produz algo, por exemplo, o construir; da arte de construir deriva, além da ação de construir, a casa.

Portanto, nos casos em que se tem a produção de algo diferente do próprio exercício da faculdade, o ato se desdobra no objeto que é produzido: o ato de construir no que é construído; a ação de tecer no que é tecido etc. Em geral, o ato do movimento naquilo que é movido.

180 | XÁ-KU-NÓIS

Ao contrário, nos casos em que não ocorre nada além da atividade, a atividade está nos próprios agentes: por exemplo, a visão está em quem vê; o pensamento, em quem pensa; a vida, na alma de quem vive. Na alma também está a felicidade, que é um certo modo de viver.

Em outras palavras: a ação não é produção de objetos ou de instrumentos. A ação é criadora de humanidade.

Toda pessoa que age está produzindo a si mesma. A ação é autopoiética. O humano, ao agir, atualiza a humanidade. Inventa-se e confere forma a si mesmo.

* * *

Sobre essa prerrogativa de criação de si mesmo, remeto o leitor a Pico della Mirandola. Autor de um magnífico texto sobre a dignidade humana. Tido e alardeado como um marco fundador do renascimento humanista.

Segundo Pico, Deus distribuiu os entes em rigorosa escala hierárquica. De alto a baixo. Colocando, digamos, em cada andar desse edifício, cada um no seu lugar. Em condições de alcançar sua perfeição. No topo, os anjos. E sua sublime mobilidade. No porão, as ostras. Com sua pulsação amorfa.

Quanto ao humano, Deus não o fixou. No futebol, não guardaria posição. É, como dizem, um coringa. Joga na defesa, no meio, no ataque, no banco, arbitra, bandeira e torce.

Na alegoria do prédio, o humano não está em andar algum. Poderíamos imaginá-lo num elevador de obra. Provisória e precariamente instalado do lado de fora. Sobe e desce em velocidade espantosa. Pode visitar os anjos, comer ostras ou ser comido por elas. É capaz de agir. O que o converte num camaleão.

Não te dei, Adão, nenhum aspecto próprio de ti, nem nenhuma prerrogativa tua, para que alcances e conserves aquele lugar, aquele aspecto, aquelas prerrogativas que desejares. Mais claro, impossível!

* * *

O contrário da liberdade é a coerção. O constrangimento. Quando algo impede que se faça o que se quer fazer. Ou obriga a fazer o que não se quer.

A liberdade nunca é nula. Ou, se você preferir, podemos dizer de outro modo: a falta de liberdade nunca será absoluta.

Mesmo na total privação de movimentos. Como talvez se encontravam os escravos na caverna de Platão. Sem deslocamento e constrangidos a olhar para a parede no seu interior.

Ainda assim, nesse caso haveria alguma liberdade. De pensamento. De articulação de ideias. De reflexão crítica sobre o mundo. De avaliação subversiva da realidade social. E muito mais.

No interior da cárcere, pode-se dormir ou não. Ler ou não. Cavar um túnel para evasão ou não. Alimentar-se ou não. Produzir escritos de filosofia política para a posteridade (*à la* Gramsci) ou não. Comandar uma revolução no exterior da prisão ou não. Ameaçar incautos com falsos sequestros pelo celular ou não. Imaginar a vida saindo dali ou não. Pensar sobre os valores de uma vida vivida ali dentro ou não.

E esse parágrafo não teria mesmo fim, não fosse o escasso senso de conveniência e oportunidade dos autores para encerrá-lo, entendendo que seu propósito explicativo já tenha sido alcançado, ou que não será alcançado nunca pelo mero acrescentamento de possibilidades existenciais atrás das grades.

* * *

A liberdade tampouco será absoluta. Ou, ainda, a sua falta nunca será nula.

Nenhuma sociedade suportaria a ausência absoluta da coerção. A não ser no império absoluto da moral. Em que a consciência de cada um lhe basta. Para livremente imporem-se os limites da dignidade.

Como não é o caso, somos proibidos por lei de matar, furtar, ofender, agredir. E muito mais.

Se todos pudessem matar, os assassinos de hoje rapidamente se acautelariam de toda vida social. Se todos pudessem avançar no que não lhes pertence, em pouco tempo ninguém teria nada.

* * *

Neste capítulo sobre liberdade, há que se falar também da própria natureza. Sempre atualizada no mundo, pelos encontros entre corpos, pelo que a ela vai acontecendo.

A natureza dos humanos também lhes impõe limites. Circunscreve-lhes a liberdade.

Como dizia o velho Clóvis de Barros, pai de um dos autores deste livro e arguto conhecedor da atração gravitacional e da equação de Torricelli – que permite saber a velocidade final de qualquer objeto em colisão com a Terra, dada a altura de que é largado:

— Na falta de asas, melhor não arriscar sobrevoos muito distantes do chão.

Mas não há só limites.

A natureza de cada um de nós também pode ser submetida a uma educação que favoreça seu pleno florescer. O que requer, por um lado, um profundo conhecimento de si e, por outro, a busca de um aperfeiçoamento, a caminho da excelência.

Esse aperfeiçoamento constante pode ser entendido como libertador. Afinal, o teto da excelência é sempre mais alto que o da mediocridade. Patrocinando a vida em espaços mais amplos, com maior número de oportunidades e autorizando projetos mais auspiciosos, carregados de esperança transformadora.

Ainda assim, sabemos bem. Do ovo de uma galinha poderá sair um pinto, ou não. Mas um peru, de jeito nenhum.

* * *

Há formas de organização social, bem como de regimes políticos mais adequados a este ou aquele tipo de natureza de homens e mulheres. Essa era a convicção mais profunda de Platão.

Humanos democráticos seriam mais zoados e afeitos à improvisação. Volúveis até não poderem mais. Humanos monárquicos ou oligárquicos tendem à disciplina, à rotina, ao rigor, à repetição e coisas afins.

Da mesma forma, regimes democráticos tendem a forjar humanos com essas características. O mesmo para regimes oligárquicos ou monárquicos.

Muito bem.

Suponhamos que o mesmo valha para a organização da atividade humana com ênfase na cooperação. Seja por natureza, seja por educação, há modos de ser, jeitos de viver, cacoetes de pensamento, reações a estímulos e muito mais que favoreçam uma disposição de valorização do coletivo. Em detrimento – muitas vezes – do luzir individual.

Ainda assim, o jogo é jogado. A vida vai seguindo. As interações se sucedem.

E, a cada passo, podemos propor a nós mesmos uma redefinição. Um recomeço. Uma transformação mais significativa. Um novo eu. Com uma nova trajetória. Uma nova vida. Com outros valores. Outros princípios de conduta. Outros protocolos práticos. Outras normas.

* * *

O impedimento moral – desafiando o senso comum mais opaco – liberta. Não só porque limita o outro e nos abre espaço. Mas porque retira o ser humano das cadeias biológicas da reprodução. Faz nascer um outro tipo de aproximação, o desejo, transgressor das proibições.

O desejo – sempre inclinado – transgride as distâncias, aproxima, deturpa a lógica, turva o pensar, falseia os conceitos, confunde a linguagem e devolve homens e mulheres ao sem limite. De que tiveram de abrir mão para se constituírem como indivíduos.

* * *

Dessa forma, iludidos ou não, dá muita pinta que um bom quinhão da vida de cada um de nós depende do que fazemos dela. De nossas deliberações. De caminhos e estratégias que escolhemos. Entre muitas outras. Para chegar aos lugares sonhados por nós.

Por isso, cooperar deve resultar de uma escolha. Seja ela livre como toda boa escolha ou escrava de um querer que se impôs, na calada cega da noite.

CAPÍTULO 14

Se há confiança, então é cega

Este capítulo é dedicado à confiança como princípio. Sem ela, toda cooperação se vê fulminada em seu nascedouro.

* * *

— Confio cegamente nele!

Há um exagero nessa frase. Não na confiança excessiva. Tampouco na cegueira. O que está demais são os dois juntos. Confiança e cega. Palavras em excesso. Pleonasmo. Teria bastado dizer:

— Confio nele!

De fato. Confiar cegamente é como entrar para dentro, subir para cima, rir risos, chorar lágrimas ou sofrer sofrimentos.

— E por quê? – você pergunta.

188 | XÁ-KU-NÓIS

Afinal, subir só pode mesmo ser para cima. E entrar é necessariamente para dentro. O que isso tem a ver com a confiança cega?

Tem tudo a ver. Do mesmo modo que quem entra só pode entrar para dentro, quem confia de verdade só pode confiar cegamente. Não há outro modo.

Quem diz confiar e mantém os olhos abertos, precisa ver, isto é, ir verificar, checar, constatar, nesse caso está mentindo ou está enganado a respeito da sua confiança.

A confiança que requer verificação tem outro nome: chama-se desconfiança.

* * *

Podemos sofisticar um pouquinho essa reflexão sobre confiança e cegueira. E, se o fizermos, provavelmente aprenderemos algo novo. Digo provavelmente porque o repertório do leitor é sempre desconhecido para os autores.

Afirmar que a confiança é cega é um juízo analítico. Uma análise, portanto.

Venha sem medo.

Afinal, palavras como analisar, análise, sintetizar e síntese são de uso bem frequente. E, muitas vezes, com um significado muito impreciso, ou até mesmo equivocado. Vale a pena aprender o que as diferencia.

Imagino que o leitor, em sua vida escolar, tenha sido solicitado a fazer uma análise sobre um tema qualquer, sobre uma ocorrência, um discurso, uma declaração. Da mesma forma, é certo que tenha também feito sínteses de um texto, de um capítulo de livro, de um romance inteiro, de um tópico da matéria.

Veja se você concorda conosco.

No entendimento mais espontâneo, ao analisar seja lá o que for, você pode ir longe. Fazer conexões, comparações, distinções. Enfim, você mobiliza todo um repertório para dar àquilo que você está analisando um sentido. Articulando como pode elementos variados.

Em compensação, síntese parece sugerir uma redução, resumo, identificação das ideias centrais. Quem faz uma síntese parece dizer o que está sintetizando com menos palavras, desprezando o periférico e destacando só o mais importante.

Em resumo. No senso comum, quem analisa acrescenta, aumenta, desenvolve. Quem sintetiza resume, reduz, seleciona, espreme.

Pois bem.

E se eu te disser que na mais importante filosofia moderna, como a que propõe um grande pensador chamado Immanuel Kant, os significados de análise e de síntese são, de certo modo, invertidos?

— Como assim? – você pergunta, já meio aflito.

Calma. Sem angústia. É só um jeito diferente de usar as palavras. Com um outro significado.

Veja só!

* * *

Numa análise você se atém estritamente à essência do que está analisando, limitando-se a sua própria definição. O analista não acrescenta nada. Apenas joga luz sobre o que é de verdade aquilo que está a analisar.

Em contrapartida, na síntese, aí sim, quem sintetiza vai além. Estende, desenvolve, alarga. Até onde achar pertinente. E agrega ao que está sintetizando atributos que lhe são essenciais.

Nesse momento você levanta o braço.

— Achei legal. Mas acho que tudo isso ficaria mais claro com algum exemplo. E depois, ainda não entendi o que essa história de análises e sínteses tem a ver com a confiança de que estávamos falando antes.

Muito bem. Podemos resolver as duas inquietações de uma vez só. Afinal, a tal da confiança cega é um excelente exemplo para atender a sua solicitação. Em meio a tantos outros possíveis, claro. Então, vamos a eles.

* * *

A afirmação de que a confiança de alguém em alguma coisa é cega é um juízo analítico. Ou simplesmente uma análise.

E por quê?

Porque apenas explicita o que já está contido na essência ou na definição de confiança. Sem nada acrescentar.

— Não entendi! – atalha você com convicção.

Se trouxermos um outro exemplo, a comparação poderá nos ajudar. Veja só!

Quando alguém afirma:

— Um triângulo tem três lados. Ou este triângulo tem três lados.

Perceba. Essas afirmações apresentam no predicado o que já está presente no sujeito da frase. O predicado, portanto, não agrega nenhuma informação ao que já consta no sujeito.

Desse modo, os três lados já estão contidos no triângulo.

* * *

Já uma síntese – ou um juízo sintético – é bem diferente.

Esclareçamos pela diferença entre uma e outra. Entre outras abordagens possíveis, é certo que análise não é síntese e vice-versa. Se entendermos uma, estaremos, por oposição, a um passo de entender a outra.

A palavra síntese contém o prefixo *sin* do grego. Esse prefixo indica reunião, justaposição, aglutinação.

Na palavra simpatia, por exemplo.

Esse *patia* vem de *pathos*, que quer dizer emoção. E o sim denuncia a emoção sentida por alguém que se junta à emoção de um outro. Isso só é possível porque aquele que simpatiza com algum outro indivíduo se imagina no lugar dele, vivendo aquela situação. Essa imaginação estará na origem do que sente. Da sua emoção.

Desse modo, temos na simpatia duas emoções. A primeira, de quem vive a situação, com percepção imediata do mundo, e a segunda, a emoção de quem simpatiza com o primeiro e tem a sua emoção gerada pela imaginação de se encontrar no lugar dele.

Tal como no caso da simpatia, toda síntese também pressupõe reunião. Quem sintetiza agrega ao seu objeto algo a mais. Um atributo que não lhe é intrínseco. Logo, a síntese se objetiva numa afirmação que vai além da essência do objeto sintetizado. E, portanto, além da sua análise.

Tal como na afirmação que segue:

— Esse sapato é marrom.

Trata-se aqui de uma síntese. Ou de um juízo sintético. Porque o marrom não é essencial ao sapato. Tanto que há sapatos que não o são. Como os verdes, os vermelhos, os brancos, os cor de abóbora, os azuis etc.

Quem ouve que o sapato é marrom recebe duas informações diferentes. A primeira é tratar-se de um sapato. E a segunda, de um sapato marrom. Essa cor marrom foi acrescida, agregada, justaposta ao sapato.

Última tentativa.

Dizer que o triângulo tem três lados escancara o que o triângulo é sem nada acrescentar. É uma análise. Dizer que o sapato é marrom nada diz sobre o que é um sapato em si. Mas acrescenta uma informação específica sobre aquele sapato. A cor.

* * *

Espero que tenha ficado claro. O esforço didático foi grande. Se houvesse mais talento, o resultado seria melhor. Como sempre.

Agora podemos voltar à confiança. Retomando a nossa afirmação lá do começo:

— Confio cegamente nele.

É uma análise. Um juízo analítico. Uma simples ênfase em um de seus aspectos. Um destaque. Porque a confiança, por ela mesma, já contém a cegueira. Tanto quanto a ideia de triângulo já contém os três lados.

A cegueira na frase não configura síntese. Porque não agrega nada de novo à ideia de confiança.

Em outras palavras: a eventual necessidade de comprovação empírica, permitida pela visão, atenta contra a essência do confiar.

Confiar é ter certeza sem verificar. Ter certeza sem comprovar. Ter certeza sem demonstrar. Quem confia tem certeza e ponto. Cegamente.

Para cooperar é preciso confiar! Do único jeito que uma confiança verdadeira pode ser. Cegamente.

De fato, não há como estar do lado o tempo todo. É necessário ter muitas certezas sobre a operação do outro. Sem precisar verificá-la. Sem poder verificá-la.

* * *

Mas qual é o fundamento para se ter uma certeza assim?

Fala-se muito em construir relações de confiança. Passaríamos a confiar, isto é, a ter certeza sobre como agirá o outro em função do que ele sempre fez. De experiências flagradas antes. Do passado, em suma.

O fundamento está na fidelidade do outro. Flagrada no outro. Presumida por quem nele confia.

De modo que, naquele instante, temos certeza de que alguém agirá desta ou daquela maneira porque em situações análogas já vividas sempre procedeu daquela forma.

Há um problema em pensar assim. Na verdade, dois. Quem sabe três ou quatro.

* * *

Primeiro.

Como confiar sem experiências anteriores? Toda relação tem um princípio. Se a confiança depende do que aconteceu antes, partiríamos sempre da desconfiança. Que, no caso de certa consistência prática, ensejaria no outro uma confiança, digamos, progressiva.

Ora, muitas vezes a confiança não pode esperar tanto. Quando uma organização contrata um novo colaborador, não pode se dar ao luxo de gastar anos de avaliação. É preciso apostar sem passado mesmo.

Você, leitor, dirá que as cartas de recomendação e as súmulas curriculares servem para isso. Para compensar a falta de passado convivido.

Sim. Pretendem isso. Mas sabemos bem quanto – mesmo em boa-fé – esses documentos são redutores da complexidade do comportamento de uma pessoa. Ou francamente falseadores.

* * *

Segundo.

A repetição de um protocolo de ação, o respeito habitual a certas regras de conduta, a confirmação reiterada de valores éticos e existenciais, tudo isso pode fazer crer numa consistência prática. E, portanto, ensejar confiança por parte dos demais.

Essa recorrência não assegura, por ela, nenhuma ação futura. Os filósofos do conhecimento, em especial os empiristas, afirmam que a água pode ferver a 100 °C nas condições normais de temperatura e pressão mil vezes. Mas isso não assegura que o mesmo aconteça na 1001ª vez.

Com maior razão, a repetição de certas práticas por determinada pessoa no passado não determina – por ela mesma – a ação de amanhã dessa mesma pessoa.

* * *

Terceiro.

Se a confiança é construída a partir da fidelidade flagrada no outro, como confiar naquilo com que nunca teremos experiência empírica?

Como na existência de Deus, por exemplo.

* * *

Quarto.

Se a confiança depende dessa fidelidade, qualquer deslize nesse quesito é suficiente para uma desconfiança eterna? Uma pessoa que pisou na bola nunca mais poderá ser digna de confiança?

— Que outra razão poderíamos propor para confiar se não for à luz do que vamos observando no comportamento do outro?

Ora. Uma confiança por princípio. Com ela resolvemos o problema das relações sem passado ou sem experiências materiais.

Tomar o que for dito por verdadeiro por qualquer um, por princípio. Assumir que o outro honrará o combinado, por princípio. Ante um outro genérico. Que aqui se define apenas como humano. Como cada um de nós.

Uma confiança *a priori*. Que se antecipa a todo encontro. Que antecede toda experiência. Que serve de referência para a relação com qualquer um.

Nesse caso, o comportamento não mudaria segundo a aparência da pessoa com quem se relaciona. O protocolo de conduta é definido a partir de um tu, de um ele, de um vós e de um eles genérico. Em suma, um outro, qualquer outro, que merecerá a mesma disposição de confiança.

Uma certeza de verdade e autenticidade. Seja ante quem for.

* * *

Você não se contém e pondera com indignação:

— Isso de confiar por princípio, genericamente, é uma loucura. Você é doido.

Eu te entendo. E muita gente faz coro com você. Gente grande. Gente importante na história do pensamento. Para Schopenhauer, é mais seguro temer os homens do que confiar neles. Para Bacon, toda desconfiança ou suspeita se funda na ignorância. E Chamfort observa que o começo da sabedoria é o temor aos homens. E não o temor a Deus, como sugerem as Sagradas Escrituras.

Demóstenes, por sua vez, garantia que muralhas e muros são bons meios de defesa, mas o melhor mesmo é a desconfiança. O sábio Bias repetia que a maioria dos homens é ruim.

E o poeta filósofo Leopardi, orgulho dos italianos, chegou a afirmar que a mentira é a alma da vida social. E que o mundo é uma reunião de flibusteiros contra as (poucas) pessoas de bem e uma reunião de cruéis contra os (pouquíssimos) generosos.

Note que você conta com companhia de gala para a sua indignação. Mas eu a respeitaria mesmo que estivesse sozinho nessa. Afinal de contas, é você que nos prestigia com a sua leitura. E não todos esses incríveis personagens, que provavelmente não teriam dado bola para o nosso capítulo.

* * *

Ia esquecendo de Machado. O de Assis. Que era, na verdade, do Rio de Janeiro. Não o poeta espanhol Antônio. Que também era Machado. E também gigante com seu caminhante sem caminhos prévios.

Machado de Assis. Num dos seus contos mais filosóficos, o capeta, o ele próprio, o não-faz-rir, cansado de viver dos remanescentes divinos, dos descuidos e obséquios humanos, resolve fundar sua própria religião.

E assim o fez.

Descia e subia, examinava tudo, retificava tudo. Combateu o perdão das injúrias e outras máximas de brandura e cordialidade. Não proibiu a calúnia gratuita formalmente, mas induzia a exercê-la mediante retribuição.

Todas as formas de respeito foram condenadas por ele, como elementos possíveis de um certo decoro, com exceção do interesse.

Mas essa mesma exceção foi logo eliminada, pela consideração de que o interesse convertia o respeito em simples adulação; era este o sentimento aplicado e não aquele.

Sucedeu que um dia, longos anos depois, o Diabo notou que muitos fiéis praticavam as antigas virtudes em oculto.

Um de seus melhores apóstolos, falsificador contumaz, tendo angariado a amizade de um cônego, ia todas as semanas confessar-se com ele numa capela solitária, benzia-se duas vezes.

Voou de novo ao céu, trêmulo de raiva. Deus, em sua infinita complacência, ouviu sem interrompê-lo, depois colocou nele os olhos:

— Que queres tu, meu pobre Diabo? É a eterna contradição humana.

CAPÍTULO 15

Quimera que vale

Este capítulo é sobre o imaginário.

* * *

Cooperações e cooperativas, além de existirem no mundo como formas particulares de organização socioprofissional que já se encontram em vias de implementação, também existem na mente de seus idealizadores, imaginadas, projetadas, concebidas e, muitas vezes, bastante desejadas.

* * *

Palavras como imaginação, imaginar e imaginário fazem parte do cotidiano.

No dia a dia essas palavras são empregadas em situações muito diversas e com significados com elas compatíveis.

Em alguns lugares do Brasil, por exemplo, quando uma pessoa agradece as coisas do dia a dia com algum tipo de obrigado, o indivíduo agradecido desobriga quem agradece com um simpático "imagina", que entrou no lugar de expressões mais formais como "não há de quê" ou "não seja por isso".

Esse "imagina" parece ser a forma resumida de "Imagina se é caso de agradecimento, ante um gesto tão simples e pouco custoso da minha parte".

* * *

Num sentido mais trivial, alguém sugere, em busca de adesão solidária:

— Imagina ficar oito horas no aeroporto sem ter o que fazer esperando pelo voo e na hora do embarque anunciarem o cancelamento.

Nesse caso, o convite não é para imaginar propriamente as oito horas na sala de embarque. Mas de supor o tédio sentido pelo outro seguido da indignação pelo cancelamento.

Num sentido ainda mais estrito, alguém pergunta:

— Você imagina passar por uma rua bastante escura, sem iluminação alguma, na madrugada, sem conhecer ninguém, sem saber onde está e do nada aparece um indivíduo por trás e te aborda em tom pouco amistoso.

Nesse caso, a produção do conteúdo imaginado parece mais explícita.

* * *

Se tivéssemos que clarear a noção de imaginação ou de imaginário, e perseguir alguma definição, por quais caminhos teríamos que passar? Em outras palavras, o que imaginar quer dizer ao certo? Atividade – facultada pela imaginação – de representar imagens no espírito. Em especial, quando o mundo representado está ausente, isto é, não é percebido naquele instante.

Quando falamos de imaginação, estamos falando de atos. Não de coisas. Toda imaginação é um recurso ativo ou uma faculdade da consciência que permite a homens e mulheres lidarem com o mundo quando ele falta.

* * *

A imaginação liberta do real, dando a quem imagina autonomia em face do mundo imaginado. Clóvis imagina da sua casa tudo que envolve a vida de seu filho, que mora na Holanda.

E essa imaginação vai longe. Tendo ou não a ver com a realidade da vida vivida pelo primogênito. Desse modo, essa imaginação facilita a distância, promove a separação de quem imagina em face do real imaginado.

Nesse sentido, a imaginação se distingue do conhecimento. Que também é libertador, mas não fomenta a separação do mundo conhecido. Pelo contrário.

Quem se dispõe a conhecer não pode se dar ao luxo de divagações e devaneios imaginativos. Toda produção de conhecimento recomenda atenção máxima ao seu objeto, zelo com o *corpus* da pesquisa.

Em suma, pondo lado a lado imaginação e conhecimento, há que admitir que se a imagem é figurada – sem que conte muito a correspondência com o mundo imaginado –, o mesmo, claro, não se passa com o conhecimento.

Entendemos melhor agora a dificuldade de identificar a definição de um projeto. Todo projeto combina, quanto possível, com a abertura da figuração imaginativa com os rigores dos protocolos cognitivos.

* * *

Cooperar integra um certo imaginário de sociedade. Faz parte de representações bastante compartilhadas de vida social ideal.

Enquanto verbo e substantivo correlatos, cooperar costuma constar de discursos em cenários públicos e privados a respeito do que deveria acontecer para que a convivência fosse melhor.

Ao mesmo tempo que a sociedade fundada na cooperação existe e sempre existiu, também é um modo idealizado de vida social.

Em suma, cooperar é um modo de interagir vivido e idealizado.

Que atributos costumam ser vinculados quando imaginamos práticas cooperativas?

Vincula-se amiúde cooperação a uma sociedade mais justa, mais eficaz, mais participativa, mais horizontal, mais tolerante, mais solidária, menos autoritária, menos egoísta e muito mais.

Assim, ao mesmo tempo que muitos espaços de interação privilegiam a cooperação e fazem dela o mote maior da vida de quem interage, viver em cooperação também faz sonhar, abastece o imaginário e assume as tintas de um quase paraíso no mundo dos humanos.

* * *

Ao propor que a cooperação integra uma sociedade sonhada, não estamos a atribuir-lhe um sentido negativo. De uma cooperação como delírio descolado da realidade.

Pelo contrário. Trata-se de um lindo imaginário, de valor altamente positivo, patrocinador de uma vida feliz, atravessado por ideias auspiciosas, sobre como gostaríamos que fosse a vida com os demais.

* * *

206 | XÁ-KU-NÓIS

Sonhar acordado – no sentido de elucubrar sobre coisas boas, exclusivamente para si próprio, que ainda não integram a realidade do sonhador – é muito bem-visto por alguns autores de autoajuda. Repetem muitos com eles – com lirismo minguado em recursos – que somos do tamanho dos nossos sonhos.

Se para conquistas pessoais, a simples conjectura de condições mais favoráveis de vida é apontada como um primeiro passo para a sua realização, quando o assunto é interação mais justa, convivência mais harmoniosa ou sociedade mais feliz, o mero devaneio não conta – em especial nos dias de hoje – com a mesma aprovação junto aos porta-vozes do senso comum.

Propomos aqui uma reabilitação do papel existencial do imaginário. E, para isso, nos apoiaremos num grande. Num gigante. Refiro-me a um dos maiores da modernidade e de todos os tempos. J. J. Rousseau. Filósofo de Genebra.

* * *

Rousseau estabelece uma relação interessantíssima entre desejo e felicidade. A partir de um entendimento de desejo muito particular.

Lembremos rapidamente que para os pensadores antigos o desejo não combinava muito com vida boa. Tratava-se de uma ausência, de uma falta, de um vazio. Assim, o desejo era pelo que faltava. Pelo que não se tinha, pelo que não se era. Incompatível, assim, com a felicidade.

* * *

Rousseau propõe exatamente o contrário. A vida feliz é em pleno desejo. A felicidade coincide com ele. E dura enquanto o desejo não for satisfeito.

Em outras palavras. O que conduz à felicidade não é a satisfação. É, sim, o fato mesmo de desejar. Só há felicidade enquanto não houver satisfação. Antes dela, portanto.

Só somos felizes antes de sermos felizes.

Para Rousseau, sem o desejo nada mais importa.

Regozija-se muito menos com o mundo conquistado do que com o mundo almejado, esperado, cobiçado.

E por quê?

Aqui entram a riqueza e a beleza do imaginário.

* * *

Quando desejamos algo ou alguém, não desejamos um algo ou um alguém existindo no mundo. O objeto do nosso desejo é a representação desse algo ou desse alguém que nós mesmos fazemos. Trata-se, portanto, de uma ideia.

João deseja Maria. Mas qual o verdadeiro objeto desse desejo?

Ora. João viu Maria em casa de Gumercindo, seu primo. Conversaram um pouco. Trocaram WhatsApp. Marcaram um sorvete para alguns dias depois. Ao todo ficaram juntos umas três horas. Deu para saber algumas coisas. Escolhas do passado. Coisas de estudo. Alguns gostos. Atributos presumidos de um corpo tapado. O rosto.

João deseja o que ele imagina sobre Maria. Vai muito além do que ele pode, naquele encontro, ver e ouvir. Na cabeça de João, Maria fica meiga, suave, doce, gentil, generosa, afável, astuta, vivaz, antenada, lúcida, inteligente, articulada, aprazível, excitante, sedutora, e sabe-se lá o que mais. Mencionei apenas os adjetivos que João usou nos dias seguintes para falar do seu *crush* mais recente.

* * *

É o que defende Rousseau.

Em todo desejo há uma boa dose de imaginação. É a sua parte mais nobre. Imaginamos o que desejamos muito além do que percebemos. Desejamos algo ou alguém mesmo sem conhecer.

A imaginação permite representar o mundo desejado. Em torno dessa representação nasce o desejo. O desejo não nasce, portanto, de um conhecimento real daquilo ou daquele que deseja.

Desejar alguém – sexo, presença, relação – tem a ver com atração. O que nos empurra em direção ao objeto. Que age sobre nós como um ímã.

O que nos atrai não é a pessoa. É o que imaginamos sobre ela. Nosso desejo é turbinado pela imaginação que prolonga nossas percepções. Imaginação no sentido de se construir uma imagem. Que se distingue da realidade percebida.

Simulacro, ilusão, fantasma.

Desejamos no outro as qualidades que nós mesmos lhe atribuímos pela nossa imaginação. Quando desejamos alguém, não desejamos alguém. Desejamos a projeção que fazemos desse alguém.

* * *

Rousseau define nossa imaginação como uma força consoladora. Faculdade que temos de adaptar a realidade ao que gostaríamos que ela fosse. A como gostaríamos que ela fosse.

Temos, portanto, no desejo, tendência a ver nas coisas tudo de que mais gostamos. A projetar no outro todos os atributos que nele nos apeteceria encontrar.

* * *

Assim, para Rousseau, não é o outro que faz nascer o desejo em nós. Somos nós que usamos o outro como meio para

210 | XÁ-KU-NÓIS

alimentar nosso desejo. O outro não passa de um suporte para pendurar características que nos encantam. Pretexto para projetar, em alguma realidade que nos é alheia, o que queremos para nós.

Eis o desejo. Projeção de si mesmo no outro. Não desejamos o outro. Desejamos a nós mesmos no outro.

O que faz de todo desejo a construção de uma ilusão. E Rousseau não vê nisso nenhum problema. Pelo contrário. Tudo isso que chamamos de desejo participa de um processo de embelezamento. Embelezando o objeto do mundo desejado, fazemos da vida uma felicidade.

O desejo nos conduz à felicidade porque, graças à imaginação, atribuímos ao mundo qualidades que o mundo não tem. Transfiguramos nosso ideal e dessa forma somos felizes.

Existe no desejo uma dimensão criadora. Um pouco divina, portanto.

Pelo desejo, nós idealizamos. Isto é, transformamos em ideia. A realidade passa por um trabalho propriamente desejante de conversão. Trabalho que, para Rousseau, melhora, incrementa, aperfeiçoa, embeleza. Agrega valor, como diriam nossos irmãos palestrantes do mundo do capital.

* * *

O desejo nos distancia do mundo e nos aproxima de nós mesmos. No desejo, não nos interessamos pelo outro. Pelo mundo desejado. Fosse esse o caso, exultaríamos em melhor conhecê-lo. Em descobrir seus defeitos. Atributos do desejado que nos causariam asco se os flagrássemos.

Quando a realidade desmente a imaginação, de forma cabal e irreversível, há decepção. E indignação. Ela se descredencia da condição de suporte para nossas aspirações. Nesse caso, a imaginação se vê comprometida, e o desejo termina. Levando com ele a felicidade. Não encontramos mais no objeto o que nos permitiu idealizá-lo.

O desejo e a idealização estarão mais livres quanto menor for o conhecimento da realidade idealizada.

O desejo se alimenta da ignorância. Do vazio. O que nos permite preenchê-lo de ideal. Responde à nossa necessidade de ideal. Eis porque Rousseau se recusa a condená-lo.

Infeliz daquele que não procura o seu ideal. E se satisfaz com a realidade de todos nós.

O país das quimeras é o único neste mundo digno de ser habitado.

CAPÍTULO 16

Remotas origens

Na sequência das páginas sobre imaginação,
este capítulo tem como tema central a utopia.

* * *

O vínculo entre imaginário e utopia é bastante fértil. Afinal, toda utopia é um lugar que não existe, a não ser na imaginação daqueles que a propõem.

Muito do que encontramos no mundo de hoje – enquanto formas particulares de organização entre pessoas – um dia povoou as páginas de propostas utópicas.

Exemplo claro desse vínculo são as nossas cooperativas.

Inspiradas nas ideias do inglês Thomas Morus, escritas e publicadas em *A utopia*, obra de 1516; na experiência dos falanstérios, do filósofo francês Charles Fourier, em 1810; nas propostas – em seu tempo tidas por muitos como alucinadas – de Robert Owen, George Jacob Holyoake e William King.

Apresentaremos aqui Morus e Fourier. Os demais, tão relevantes e fascinantes quanto, serão preteridos por restrições editoriais. Caberá ao leitor interessado estender sua leitura e realizar sua própria investigação.

* * *

Londres, 6 de julho de 1533. Após dias de tormenta, tímidos raios se esgueiram entre nuvens. No cinza das ruas, fantasmas perambulam saltitando em poças. Uma ambiência fúnebre rondava a capital. Mendigos, ladrões e opositores de Henrique VIII, julgados e condenados, faziam trabalhar de sol a sol o pessoal de funerária.

Gritos de dor, lamento e desespero lancinavam nas imediações da ponte de Londres. Eram três órfãos. De 10, 15 e 19 anos. Privados dos genitores pelo furto de comida para alimentá-los. A fome e a miséria faziam dos homens – de toda idade, sexo e religião – cães raivosos, prontos a tudo por um osso.

Numa cela da Torre de Londres, um homem genial esperava resignado o momento de sua execução. Em algumas horas a lâmina pesada e afiada para seccionar qualquer material que tente lhe resistir se abateria sobre ele. Debalde, intelectuais, pensadores, artistas e religiosos rogaram clemência.

Traição em face da Coroa da Inglaterra. Irrevogável.

Só um improvável gesto do próprio rei teria impedido a execução.

Instantes antes da hora fatídica, ouvem-se passos. Dois guardas se aproximam. Um terceiro homem, de aspecto majestoso, vem logo atrás.

O rei indaga ao prisioneiro se está surpreso com a sua presença. Este responde que poderia esperar tudo naqueles últimos instantes de vida. Mas nunca aquela visita. O rei entrou na cela e contemplou a cidade da janela, por trás das grades. Confessou sua fascinação pela névoa, tão familiar. Parece esconder os pecados de uns e de outros.

O prisioneiro aproveita a deixa e acrescenta. "Não só os pecados, mas também a verdade."

O rei lhe pergunta aborrecido a que verdade ele se refere.

"A verdade de Roma? A verdade do Papa?", vitupera, acusando-o de traição. O prisioneiro houvera jogado sua confiança no lixo. Apunhalara-o pelas costas.

O condenado se defende. Arrependera-se de ter tocado no assunto. Afirma ter agido para defender a unidade do cristianismo.

O rei o acusa de ter traído o reino, colocando-se a serviço do Papa. Supunha que a execução iminente lhe tivesse feito pensar melhor. Mas, aparentemente, equivocara-se.

Viera para conceder o perdão *in extremis*. Com um ato de magnânima clemência. Com a condição de que o acusado admitisse publicamente seu erro. E declarasse apoio irrestrito às bodas de sua Majestade com sua amada Ana.

Em suma. Bastaria jurar fidelidade ao rei e estaria salvo. O prisioneiro olha fixamente para sua Majestade, afirma permanecer fiel a ele e ao seu reino, mas antes deles, ao seu Deus.

O rei, devastado pelo ódio, afirma que o prisioneiro poderia ter fama e dinheiro, mas escolhera morrer. Ordenou, então, aos guardas que o levassem imediatamente. Para cumprir o seu destino.

Ante o carrasco, foi-lhe concedida a última palavra. O prisioneiro olhou para o céu. Para ser, em seguida, golpeado de morte pela espada da degola. Sua cabeça se descolou completamente do corpo, para o aplauso de alguns poucos que acudiram para assistir à execução.

O relógio soou meio-dia. Os olhos de Thomas Morus permaneceram abertos. Pareciam contemplar o tronco, agora distante.

Mas já não podiam ver a neblina que fora se dissipando ao longo da manhã. Prenúncio de bom tempo para aquela tarde.

* * *

Em 1504, Thomas Morus tornara-se membro do Parlamento. Nos anos que se seguem, entra para a corte e cai nas graças de Henrique VIII. É nomeado representante da Coroa em

Londres e juiz em Hampshire. Mesmo depois de *A utopia*, é nomeado conselheiro pessoal do rei. Sua ascensão política é fulminante. Chega a lorde chanceler.

Como é possível que essa carreira política impecável possa tê-lo levado à decapitação?

Sua crítica mordaz e irônica dos costumes, da sociedade e da forma como era governada. Foi condenado por suas ideias, em suma.

Sua fidelidade ao Papa não passou de gota d'água. Valeu-lhe uma santidade. São Thomas Morus. Lustro para uma posteridade já acalentada pela filosofia. Sua obra tornou-se clássica, transbordando às fartas o tempo e o espaço de sua existência.

* * *

Publicada em 1516, *A utopia* é obra humanista e renascentista. Trata-se de literatura, de ficção e de filosofia política.

Nesta última, exercerá decisiva influência sobre as utopias que se seguiram ao longo da modernidade, como *A cidade do sol*, de Tommaso Campanella, e *A nova Atlântida*, de Francis Bacon.

Na literatura, inspirará romances como *As viagens de Gulliver*, de Jonathan Swift, *O senhor das moscas*, de William Golding, *10.000 Jours pour l'humanité* [10 mil dias para a humanidade], de Jean-Michel Riou, e tantos outros.

* * *

Com cuidado para não empanar o prazer das surpresas – que a leitura inédita reserva –, falemos um pouco do cenário da trama sempre em busca das origens do cooperar, de cooperações e cooperativas.

Morus imagina ter encontrado um manuscrito de um certo Rafael Hitlodeu, filósofo de origem portuguesa que venerava a teoria das ideias de Platão e o encantamento pelas maravilhas do mundo de Aristóteles.

O documento descreve uma ilha, no coração do Oceano Atlântico, que faria lembrar o Jardim do Éden. Um paraíso onde homens e mulheres vivem em paz e felizes.

Fascinado pela sociedade justa, sem intolerância e sem miséria que acabara de encontrar, Hitlodeu decide esticar a visita para conhecer melhor aquela curiosa e exitosa experiência de vida coletiva.

Na esteira da *República* de Platão, que delineava a cidade ideal e justa, governada pelos filósofos, indivíduos capazes de governar a si mesmos, que conhecem e aplicam o bem, Thomas Morus descreve aquela comunidade política perfeita.

A ilha se chama Utopia. Um jogo de palavras possível vincula a *eu topos* (lugar de felicidade) e *ou topos* (não lugar).

Utopia é a ilha que não é. Ilha do não lugar. Ilha do lugar nenhum. Como em Peter Pan. Mas em direção à qual os homens de boa vontade devem navegar para transformar a realidade existente.

O homem utópico, ensina o filósofo Ernst Bloch no século XX, é aquele que pode transformar o real porque tem uma ideia alternativa de mundo pela qual viver e lutar, porque quer construir-se asas para voar longe.

* * *

A obra de Thomas Morus é uma crítica feroz à sociedade europeia do século XVI.

Comumente apresentado como um sonho irrealizável, de um desejo impossível de ser satisfeito, o relato da obra apresenta a vida na Inglaterra na época de Henrique VIII. Em tempo de reformas e guerras religiosas.

Morus descreve uma sociedade sem roubo ou furto, sem miséria, sem impostos. Um espaço de liberdade. E de respeito a regras que delimitam seu limite.

* * *

Enquanto escrevo sobre Utopia, uma vaga música vem de algum apartamento. Agora, a árvore de Natal acendeu-se na sala de um edifício em frente. A luz é escassa, mas aos poucos vou distinguindo um homem numa poltrona, uma mulher de vermelho, outra de amarelo.

Falta pouco para a ceia, é o que parece. Vejo quando o homem se levanta e, segurando-lhe a face, beija o rosto da mulher rubra. Beijo de pai, de marido? A penumbra não me deixa distinguir sua idade aproximada.

Alguém já observou que cada vez mais o ano se compõe de dez meses. O resto é Natal. Certo poeta, inebriado com certeza, chegou a profetizar que com o tempo dar-se-ia uma inversão: dez meses de Natal e dois meses do resto.

E não parece absurdo imaginar – emenda ele – que pelo desenvolvimento da linha, e pela melhoria do homem, o ano todo se converta em Natal. Tomara fosse, poeta. Vejo que a sala do apartamento em frente esvaziou-se.

Apenas a árvore de Natal, a um canto, está agora visível. Parece guardar uma leve cintilação, uma lembrança dos seus brilhos coloridos. Isso me entristece. Como se aquelas pessoas, partindo, tivessem abandonado um pouco a mim também.

Abolindo-se a era civil com suas obrigações malignas e enfadonhas, todo dia seria Natal.

Então nos amaríamos e desejaríamos felicidades. Ininterruptamente. De manhã à noite. De uma rua à outra. De continente a continente. Governo e oposição, neutros, super e subdesenvolvidos, marcianos, bichos entrariam em regime de fraternidade.

Completando o ciclo histórico, os bens seriam repartidos por si mesmos entre os nossos irmãos. Não haveria mais cartas de cobrança, de descompostura ou de suicídio.

O correio só transportaria correspondência gentil, de preferência postais de Chagall, em que noivos e burrinhos circulam na atmosfera, pastando flores; toda a pintura, inclusive o borrão, estaria a serviço do entendimento afetuoso. A crítica de arte, dissolvida jovialmente, badalaria sem erudição nem pretensão, celebrando o advento.

A poesia escrita se identificaria com o perfume das moitas antes do amanhecer, despojando-se do uso do som.

Com economia para os povos, desapareceriam suavemente classes armadas e semiarmadas, repartições arrecadadoras, polícia e fiscais de toda espécie.

O trabalho deixaria de ser imposição para constituir o sentido natural da vida. Salário de cada um: a alegria que tiver merecido. Nem juntas de conciliação nem tribunais de justiça, pois tudo estaria conciliado na ordem do amor.

Por fim, a morte não seria procurada, nem esquiva. E o homem compreenderia a existência da noite, como já compreendera a da manhã.

Assim quereria o poeta. Um mundo administrado exclusivamente pelas crianças.

Deixo meu escritório, vagamente descoroçoado por haverem partido os vizinhos do prédio em frente, sem adeus nem aviso, para alguma festa em algum outro apartamento.

Sirvo-me de uma bebida, sento-me ao lado de minha convidada e retomo, sem convicção, o enredo do meu próprio Natal.

Vixe. O tema é Utopia. Origem remota do cooperar. Olha eu desgarrando. Falando de solidariedade, generosidade e fraternidade entre todos, em tempos de Natal. Perdão. Já estou de volta.

* * *

Em Utopia não há dinheiro. A cada um segundo sua necessidade. O ócio é proibido. Não há donas de casa, mendigos, serviçais, padres ou nobres. A jornada de trabalho é de seis horas. Cada um deve fazer um "serviço agrícola" de dois anos.

Todos têm onde morar. Há posse temporária das casas. Elas se equivalem em conforto e simplicidade. Não há bairros nobres.

Não há propriedade de bens imóveis. O apego a bens materiais é considerado impeditivo de uma vida boa. Por isso, a cada dez anos, trocam de residência. Para não criar vínculos com o patrimônio. Essa mudança não implica alteração no padrão de vida como aconteceria nas sociedades injustas, tão familiares ao nosso leitor.

Há atividades de lazer em comum. Morus destaca o xadrez e as letras.

Os utopistas tomam suas refeições juntos. Em horários estritos. Ouvem música durante. Cada refeição é precedida de uma leitura moral.

Há segurança objetiva e imensa sensação dela. As casas não têm fechadura.

Todos são corresponsáveis pela manutenção, higiene e preservação de tudo que é de todos.

Qualquer eventual desvio de conduta – como tentar tomar o que é do outro – será inibido por mercenários com poder de polícia. Os adúlteros perdem sua cidadania. E tornam-se escravos.

Fiquemos por aqui. Se eu avançar, você perderá o gosto da leitura. E *A utopia* é obra mais do que recomendada. Seria tolo lê-la munido dos *a priori* ideológicos que costumam enviesar seus pontos de vista. Deguste a beleza da produção literária. A beleza do encadeamento de ideias. E imagine Utopia como puder.

A avaliação comparativa com a vida em nossas cidades vai depender muito, suponho, de onde e como você a vive.

* * *

Falanstérios. *Phalanstères*, em francês. Criação de Charles Fourier. Estamos no começo do século XIX. Na França, a Revolução Francesa não vai longe. Os tempos são de Napoleão. Serei mais breve. *A utopia* nos tomou muitas linhas. A justo título, é claro.

"Não se trata de uma utopia."

Eis como Charles Fourier poderia ter apresentado o seu falanstério. Um projeto de habitat comunitário cujas características principais encontraremos dispersas em muitos de seus livros. Com destaque para o clássico *L'Harmonie universelle et le phalanstère* [A harmonia universal e o falanstério].

Para Fourier, as utopias – incluindo a de Morus – são "sonhos de bem" sem meios de execução. Sem método eficaz. "Os fazedores de utopia" – assim o francês se referia a Morus e outros – limitam-se a produzir quimeras irrealizáveis.

* * *

Para alguns, um grande pensador. Filósofo? Economista? Historiador? Difícil dizer. Para outros, um inventor maluco. Ou iluminado, quem sabe. Difícil enquadrar a figura em questão nas categorias convencionais das biografias.

Em 1789, Fourier tinha 17 anos. Aspira transformar a sociedade desde então. Com a industrialização, as classes trabalhadoras empobrecem. Enquanto os intermediários do mundo dos negócios enriquecem.

Criado no seio de uma família de comerciantes, Fourier indignava-se com a imoralidade daquele ofício. Chocado pelas pequenas mentiras que fazem o dia a dia da atividade comercial.

A ladainha das refeições convergia sempre para pequenos golpes, como a centimetragem dos tecidos vendidos. Como ensinava o pai, pequenas vantagens na compra e venda diária fazem enorme diferença no balanço no final do ano.

A hipocrisia social saltava aos olhos desde a infância. Faziam-lhe repetir em coro no catecismo, ao longo da manhã, o imperativo de dizer a verdade, para na tarde do mesmo dia constranger-lhe a enganar clientes e fraudar nas medidas.

Aos 15 anos, com o desaparecimento prematuro do pai, vê-se obrigado a sucedê-lo na direção da loja. Foi de resignado e obediente flibusteiro àquele que passou a comandar o negócio e suas falcatruas.

* * *

Essa convicção se consolida em 1799. Fourier assiste a uma cena que relata como decisiva para o entendimento do seu modo de pensar. Uma carregação de grãos, toneladas e toneladas, jogadas em alto-mar. A especulação sobre os preços exigia a diminuição abrupta da oferta.

Enquanto uma parcela significativa da população da cidade tinha fome.

* * *

Nada dotado para o comércio, em seis anos perde tudo.

Sob a ótica consagrada do enriquecimento, Charles Fourier é, sem dúvida, um fracassado.

Todavia, torna-se um leitor voraz. E um fertilíssimo propositor de soluções de justiça na vida social. Uma doutrina societária. Reorganização da vida em sociedade. Com base na consideração das paixões humanas.

Sim, senhor. Não há como pensar em uma convivência social ideal sem ter as paixões humanas como referência permanente.

Fourier discrimina as doze paixões mais importantes. Pondera sobre elas na hora de sugerir a organização social ideal. A conversa é longa e não cabe aqui. Mas paira, do começo ao fim, uma certeza: o trabalho deve, sempre, ser realizado com prazer.

* * *

Uma palavra sobre o que nos parece mais relevante da proposta dos falanstérios, considerada por muitos como inspiradora dos movimentos cooperativistas que se seguiram.

Estamos – importa recordar – na primeira metade do século XIX.

Trata-se de uma ideia pra lá de ambiciosa. Um lugar concebido para uma convivência ideal. Um espaço que abrigaria diversidade, harmonia e liberdade. Que deveria servir de modelo para a sociedade como um todo.

Fourier é bastante detalhista na sua descrição.

* * *

226 | XÁ-KU-NÓIS

Antes de mais nada, a pegada não é de isolamento. Não se trata de um espaço de retiro. Fourier reflete sobre vida boa em convivência. Junto aos outros. Em relação com eles.

O falanstério seria um lugar que reúne alojamento, trabalho, lazer, educação etc. Um edifício onde residiriam 1.600 pessoas, 800 de cada sexo. Deveria se situar em local com uma boa corrente de água, cercado de colinas, propício a culturas variadas e vizinho de uma floresta.

Fourier visava o máximo de autarquia e autonomia. Um palácio elegante de três andares, refeitórios, bibliotecas, salas de estudo, teatro, galeria para exposições e comunicação assegurada por pombos. As refeições seriam tomadas conjuntamente. Caso preferisse alimentar-se nos dormitórios, seria possível.

Todos deveriam trabalhar. O trabalho seria lúdico. Todos poderiam mudar de afazer. Jardinagem. Horticultura. Floricultura. Pomar. Não deveriam permanecer mais do que duas horas seguidas na mesma atividade. O enfado e a rotina deveriam ser evitados a qualquer preço.

Cada qual escolhe a atividade segundo suas inclinações, preferências e habilidades.

Não se cultiva trigo. Não se come pão no falanstério. Frutas, legumes e geleias têm a preferência.

Quanto aos serviços mais sujos ou nojentos, bem, segundo Fourier, as crianças costumam ter especial apreço por esse tipo de atividade.

Passaríamos o resto do livro falando das propostas de Fourier. Não há dúvida, tudo decorre das melhores intenções. Na consideração das mais recorrentes reações emocionais, bem como dos afetos que participam das relações humanas. Ainda assim, tudo que envolve vida em comum parece ainda bem mais complexo do que o idealizador do falanstério poderia antecipar.

* * *

A Sociedade Cooperativa dos Probos Pioneiros de Rochdale foi fundada em outubro e teve as portas abertas no dia 21 de dezembro de 1844 pela iniciativa de 28 tecelões ingleses.

Na verdade, nem todos eram propriamente tecelões. Havia um pouco de tudo. Mas a organização tinha o tear como escopo primário.

Rochdale nasceu como cooperativa de consumo. E serviu de referência para uma infinidade de iniciativas semelhantes que surgiram mundo afora.

Aos poucos, essas experiências foram analisadas, comparadas e estudadas a fundo.

Hoje, a extensa doutrina do movimento cooperativista é devedora da iniciativa desses pioneiros que se debruçaram com coragem sobre uma realidade desconhecida e de futuro mais do que incerto.

CAPÍTULO 17

Por quem se toma esse infeliz?

Cooperar requer humildade. Eis
o tema deste capítulo 17.

* * *

Tão sábio ou de importância quanto quiser crer-se, é só um homem. Dia a dia mais caduco, mais apodrecido, mais miserável e mais nada.

Não sei de onde me veio essa frase. O espírito digere leituras de outros tempos e, de vez em quando, regurgita, já misturada ao suco gástrico, em forma de bolo alimentar.

O nosso tema é a humildade.

Repito para os que começaram a leitura meio atordoados, porque o hóspede visitante quase inundou a casa toda ao banhar-se. Não se apercebeu o infeliz que o ralo do chuveiro estava fechado.

* * *

De fato, não há cooperação genuína sem um pouco de humildade. Comecemos por uma história que tem uma pitada de autobiografia.

O filho adolescente voltou da escola como sempre: calado e exalando tédio.

Na hora do jantar, rompendo com seu estrito ritual de silêncio e desinteresse pelas falas dos demais, anunciou a decisão de deixar o grupo de História e realizar o trabalho de conclusão da disciplina sozinho.

Os outros integrantes pareciam inoperantes e acomodados. E tinham certeza de que ele assumiria toda a tarefa para si. Porque era dedicado, responsável e o mais competente para tal.

Ainda que não tivesse havido nenhuma ocorrência que fundamentasse sua convicção. Aquele grupo houvera sido reunido exclusivamente para a realização daquela tarefa.

O professor concordou com o jovem. E mais. Incentivou sua decisão.

Os pais também aplaudiram a iniciativa. Orgulharam-se da sua coragem. Os colegas não se aproveitariam dele. Tampouco o atrapalhariam. Sabendo de antemão tudo que

230 | XÁ-KU-NÓIS

teria de fazer, evitaria surpresas desagradáveis no afogadilho da displicência alheia.

Naquela noite, a família jantou feliz. Pai, mãe e a avó Eulália. Todos pra lá de encorujados.

* * *

A soberba – de se tomar por superior aos colegas –, aplaudida pelo professor e pelos pais, impediu o nosso jovem de passar por aquela experiência de trabalho em grupo.

Bem como o aprendizado que só a realização coletiva da tarefa poderia proporcionar.

Sem falar de um possível talento de liderança, ainda latente, que permanecerá no escuro de uma convivência abortada.

Pais e mestres sabotando a educação para cooperar.

* * *

Na história do grande pensamento ocidental, duas concepções de humildade se destacam. Muito diferentes uma da outra. Ambas nos interessam.

Para os gregos, como Aristóteles, a humildade é uma virtude moral. Para alguns modernos, como Espinosa, a humildade é um afeto.

São perspectivas inconciliáveis.

A disputa é de cachorro grande. Entre Federer e Nadal. Limitamo-nos a apresentar os dois lados. Afinal, como o tema é humildade, para esse jogo não fomos chamados nem como catadores das bolinhas.

* * *

Comecemos pela primeira concepção. A humildade como virtude. Ou pela virtude da humildade. Uma virtude moral, com certeza.

Para caminharmos em chão mais firme, ao tratar de uma virtude moral, fiquemos, por enquanto, com a primeira parte. A virtude. Gênero no qual a virtude moral é uma espécie.

Sendo assim, primeira inferência imediata. Nem toda virtude é moral.

Para que fique mais claro:

A virtude de um remédio é curar. A de uma lâmpada é iluminar.

Trata-se de uma força. Da própria força. Deriva de "vis", que a ela remete justamente. Uma força específica. A da faca não se confunde com a do garfo. Porque a primeira permite cortar e a segunda, espetar.

Tal como a força do gafanhoto não é a do ventilador. E a do preservativo não é a do supositório.

* * *

A virtude de um ser está vinculada ao seu valor. Pelo modo como a virtude participa do ser, sabemos quanto vale.

Se a virtude de um revólver é matar, o bom revólver é o que mata bem. O bom veneno também. E já que a conversa foi por esse caminho, vale também para a corda no enforcamento.

Um instrumento de tortura pode ser excelente. E o é quando tortura excelentemente.

* * *

Mas nem todo valor advém da virtude.

Uma faca vale pela virtude de cortar. Na medida em que corta. Mas também pode valer pela lembrança que autoriza. Presente do Seu Ricardo. Que se foi neste fatídico 2020.

Pode valer também porque orna. Como ornamento. Pelo deleite decorativo.

Ou por ter pertencido a Umberto Eco. De quem recebi em mãos, naquele encontro inesquecível em sua casa, na companhia do amigo Juremir.

Vale por ter sido comprada naquele mercado de Fez, no Marrocos de muitos sonhos, naquela viagem tão especial, na mais encantadora de todas as companhias.

Enfim...

Deixemos o valor de lado por um instante.

Virtude é o poder ou a capacidade de algo. E isso lhe basta. A faca virtuosa corta bem. Mesmo nas mãos de quem degola.

* * *

Mas a humildade é uma virtude moral. Especificidade humana. Então subamos um degrau de cada vez.

Se a virtude da faca é cortar, qual a virtude de um homem ou de uma mulher? De humanos em geral. Virtude que lhes seja essencial.

Tudo que é essencial requer dois outros atributos: especificidade e universalidade.

Calma, que eu já vou explicar.

Comecemos pela especificidade. Cortar é específico da faca, e também da tesoura. Mas não de humanos.

Claro que homens e mulheres também cortam sem faca. Partem o pão macio com os dedos. Separam duas metades de uma folha de papel em cima da dobradiça. Mas às vezes fica ruim. Não é a praia deles. Numa ilha deserta, não tendo outro jeito, aí talvez.

Matar, o homem também mata, com os dedos. Mas também não é, digamos, o que lhe seja mais específico. Demora muito e pode não dar certo. A vítima tem muitas alternativas para se livrar daquela iniciativa homicida.

Passemos para a universalidade. Todos os elementos daquele grupo que estamos definindo devem ter o mesmo predicado.

No caso abaixo, isso não acontece.

Fumar cachimbo só o homem faz. E, ainda que mais raramente, algumas mulheres também, por que não? Mas nem todos. O que nos leva a concluir facilmente que esse hábito não nos é essencial.

Precisamos de algo que lhes seja essencial. Como é o cortar para a faca.

Aristóteles nos define como políticos e racionais. Assim, se a faca corta, nós interagimos, pensamos e comunicamos servindo-nos de símbolos.

Mas essa competência para pensar não basta. Porque a virtude, no caso do homem ou da mulher, tem a ver com suas vidas, com suas histórias. Assim, contam seus desejos, aspirações, sua educação, hábitos, lembranças, cultura e que tais.

A virtude de um homem ou mulher é o que os faz humanos. Um homem ou mulher excelentes realizam plenamente suas humanidades. Carregando consigo o biológico e tudo que vem depois.

Virtude no sentido geral é o poder de cada coisa, e no sentido humano é o poder de humanidade em cada um.

As virtudes morais permitem ao homem ou à mulher serem humanos excelentes. Ou mais humanos.

* * *

Ser humilde – como um traço de caráter – ou agir humildemente – na singularidade de um caso concreto – implica ter certeza de sua própria insuficiência.

Em contrapartida, tomar-se por suficiente, ou por transbordante, quem sabe, é carecer de lucidez, de discernimento, de rigor, de exigência.

Talvez por isso mesmo, a humildade seja sempre uma virtude humilde. Nega-se como virtude. Quem a tomasse como tal – e se considerasse o máximo por ser humilde – estaria em franca contradição.

Não devemos nos gabar de virtude alguma. Eis o que a humildade ensina. Por isso, um humilde nunca se toma por humilde.

Se tomar-se por honesto ou até gabar-se da própria honestidade não a compromete – afinal, ninguém deixa de ser honesto por se vangloriar da própria honestidade – e gabar-se da própria generosidade tampouco a compromete – ninguém deixa de ser generoso por ser arrogante a esse respeito –, gabar-se da própria humildade fulmina de contradição os próprios termos. Quem sai alardeando aos quatro ventos quão humilde é, deixa de sê-lo desde então.

O que pressupõe que haja virtude. Se não houvesse virtude alguma, não haveria humildade.

236 | XÁ-KU-NÓIS

* * *

Mas a humildade é virtude que não se reconhece como tal. Que não se aceita como é.

Trata-se, portanto, de uma virtude sempre acompanhada de um desentendimento sobre si mesma, por parte de seu titular. Pressupõe ignorância desse último a respeito de sua própria natureza.

* * *

Mas não só.

Além dessa ignorância sobre si mesma, a humildade respinga em todas as demais virtudes. Constrangendo-as à maior discrição possível.

Assim, é menos virtuoso o corajoso que se gaba da própria coragem, como é menos virtuoso o justo que faz da própria justiça uma bandeira de autopromoção. A coragem e a justiça, quando acompanhadas da humildade, jamais contariam com seu titular para promover consagração.

Talvez por isso mesmo, falar bem de si – ainda que sem mentira ou exagero algum – seja sempre tão ineficaz para distinções sociais.

O anúncio em alto e bom som de uma virtude – como a lealdade – não empana em nada a lealdade enquanto tal. Afinal, o leal continua leal, humilde ou não, arrogante ou não. Mas a eventual indiscrição sobre a referida virtude compromete a avaliação do conjunto, comumente conhecida como caráter.

E tudo isso, claro, sem hipocrisia alguma. Tudo na mais completa autenticidade. Aquele que se faz de humilde como estratégia nas relações sociais não manifesta nesse gesto virtude alguma. Pelo contrário.

* * *

Como dizíamos, a humildade não é uma falsa ou hipócrita apreciação de si mesmo.

É uma apreciação que enfatiza o *default*. Conhecimento assumido de tudo que não somos.

Refere-se, portanto, a um nada. Ao vazio entre a avaliação de si mesmo e uma referência ideal.

A humildade é virtude lúcida a respeito do não ser de si. Do não mérito de si. Da não excelência de si. É a consciência da própria imperfeição. Do abismo entre si e o perfeito. Daquilo que nos separa de Deus. Está vinculada à busca da verdade sobre si mesmo. Ao amor à verdade sobre si mesmo.

Ser humilde implica amar a verdade sobre si mesmo mais do que a si mesmo.

A humildade desconfia de toda positividade em si mesmo. Portanto, desconfia de si mesma.

Quem poderia garantir não se tratar de uma fachada sutil de autoenaltecimento? Uma negação encenada, ululada ou gritada em escândalo, que termina por afirmar? Que de fato afirma. Uma simulação. Uma denúncia escancarada de vazio que esfrega na cara o que é cheio.

De fato. Quem pode?

Mas aí, nesse caso, valeria tudo. Não haveria garantias nem sobre isso nem sobre nada.

Se fosse preciso invadir a mente do outro para ir além do que comunica, quem poderia garantir o que pensa sobre nós? Quem poderia garantir que pensa como nós? Quem poderia garantir passar-lhe algo pela cabeça? E se sua mente for abastecida por um computador que lhe é externo? E se for só um robô?

Ah. Ia esquecendo. Você mesmo não passa de um cérebro numa cuba cheia de fiozinhos e comandado de fora. E quanto a mim, kkkkk. Eu sou a cuba.

Achou delirante?

Então, por que desconfiar mais da humildade do que do resto do real?

Hora de deixar as virtudes de lado. E passarmos para a segunda grande concepção de virtude. Caso contrário, este capítulo acaba longo demais e você, sem vontade de concluí-lo.

$* * *$

Para alguns pensadores modernos, como Espinosa, humildade não é virtude moral. Não é sequer questão de moral. Não resulta de razão prática alguma. Não é coisa de consciência pensante. De princípios. De autonomia para conferir humanidade à vida. E decência a cada passo.

O nosso assunto muda de tom, radicalmente. A humildade seria aqui um afeto. Essa palavra afeto consta do senso comum. Mas recebe aqui, na filosofia, outro significado.

Não se trata de uma manifestação de carinho. Como quando dizemos que um indivíduo é muito afetuoso. Tampouco de um comportamento caricatural, como na constatação de que um outro indivíduo é muito afetado na hora de se expressar.

O afeto de que estamos falando é uma transformação sofrida por alguém.

E você, a cada linha mais intrigado, tão confortável estava com a ideia de humildade como virtude, logo pergunta:

— Como assim, uma transformação sofrida por alguém?

Na verdade, para ser mais preciso, trata-se da interpretação que o corpo nos propõe ante uma transformação que acaba ou está em vias de sofrer.

A ruptura da tíbia é uma transformação. Um pontapé no futebol, a sua causa. A dor, o afeto. O modo como interpretamos aquela lesão.

* * *

No caso da humildade, trata-se de um tipo de tristeza.

E o que isso quer dizer exatamente?

Que a transformação sofrida, como em toda tristeza, resulta num ente com menos potência para existir. Menos potência para agir. E para pensar. Num ente menos potente, em suma. Podemos aqui usar termos mais familiares. Na tristeza você perde tesão de viver. Brocha. Fica borocoxô.

O que pode entristecer?

Essa resposta depende de cada leitor. Afinal, a nossa própria experiência ensina. O que entristece uns não entristece necessariamente outros. Porque somos corpos e mentes diferentes uns dos outros. Singulares.

Assim, minha potência cai quando a luz do dia vai abandonando a vida e dando lugar ao escuro da noite. O crepúsculo me entristece. Tofu também. A vitória do time adversário. Geladeira vazia. O leitor saberá identificar no mundo o que lhe impõe esse afeto.

Nenhum desses exemplos tem a ver com humildade, claro. São outras tristezas. E a humildade não é qualquer tristeza. Integra esse conjunto maior. Como a Geometria integra o conjunto da Matemática.

Você então pergunta: o que distingue a humildade das outras tristezas?

É a sua causa. Porque a queda da potência, havendo tristeza, seja qual for a causa, esta estará sempre ali.

***

Vamos ver direitinho isso.

Você chega em casa mais cedo e surpreende seu cônjuge em cópula adulterina. Ali mesmo, em sua cama. A cena flagrada é causa de tristeza profunda. Assim como o boletim do filho reprovado. O mundo encontrado – na relação que mantém com você (corpo e mente) – determina essa queda de potência. Esse mundo é a causa da tristeza.

Muito bem. Tudo isso é muito triste. Realidade que entristece. Mas nada disso tem a ver com a humildade, tema deste capítulo.

A humildade é uma tristeza com uma causa muito específica. No lugar da geladeira vazia, do cônjuge indigno, do boletim avermelhado, o que causa a humildade já se encontra em si mesmo. Você passa a ter consciência de algo em você que te apequena. Reduz a sua potência. Entristece.

A humildade é uma tristeza nascida do fato de o homem e a mulher considerarem suas impotências ou suas fraquezas.

Dizendo em outras palavras. Se alguém flagra ou imagina sua própria impotência, sua alma entristece.

***

Veja como este segundo entendimento de humildade é distante do primeiro.

Se a virtude confere mais humanidade à vida de um homem ou de uma mulher, para que houvesse alguma coincidência com a concepção da humildade como tristeza, teríamos de aceitar que a tristeza é um afeto que traz à vida de homens e mulheres um grau maior de humanidade.

E supomos, com todas as forças, que não. Uma virtude, que é força, não pode ser triste, isto é, menos potente.

Em contrapartida, a soberba é um tipo de alegria. Um ganho de potência, portanto. Que tem como causa uma avaliação equivocada de si mesmo. Que crê flagrar atributos positivos inexistentes. Que sobrevaloriza a si mesmo.

Todo soberbo se esforçará para conservar essa potência em alta. Tendendo a procurar a companhia de quem alimente as falsas convicções sobre si mesmo. Como os aduladores, por exemplo.

Sendo a soberba alimentada pela falsidade, soberbos e aduladores tenderão a buscar no mundo todo qualquer indício que confirme o entendimento desviado que lhes alegra.

O soberbo e seus aduladores acabarão desprezando toda informação que restabeleça a verdade sobre suas reais competências. Tornando-se, assim, a despeito da alegria, frágeis, ineficazes e facilmente vencíveis.

* * *

Dessa forma, num cenário de cooperação, tudo que se deve evitar são líderes soberbos e suas cortes de aduladores.

Um espaço de cooperação saudável deve contar com gente humilde, consciente de suas fragilidades, e cooperados contributivos, genuinamente dispostos a reduzi-las. Com os pés no chão e a mente na verdade.

CAPÍTULO 18

Tolerância zero

Depois da humildade, a tolerância. Na sequência destinada às virtudes. Eis o tema deste capítulo 18.

"Pergunta idiota, tolerância zero."
Quem poderia se esquecer do saudoso Francisco Milani? O Seu Saraiva do *Zorra Total*. Que se indignava com as perguntas que continham nelas mesmas as respostas?
Uma homenagem a esse monstro da nossa dramaturgia.

* * *

Tolerância pressupõe mais de um. O tolerante e o tolerado. Pressupõe discordância entre eles. Não se tolera aquilo com o que se está de acordo. Pressupõe aceitação. Deixar existir o que se poderia impedir.

Trata-se de um modo particular de lidar com o que é dissonante. Com afirmações decorrentes de valores, princípios e normas que não são os próprios ou tidos como inferiores por quem tolera.

Por isso, a tolerância que é, antes de tudo, uma simples constatação, um fato na relação entre as pessoas, pode ser também considerada uma virtude. Por conceder ao pensamento do outro um estatuto em direito igual ao próprio. Por garantir liberdade para além das próprias conveniências, interesses ou afetos.

A tolerância não pode ser absoluta. Por muitas razões. A mais imediata: salta ao espírito. A tolerância absoluta exigiria tolerar a intolerância. O que a comprometeria em definitivo.

Feito esse esforço de síntese que abre nossa reflexão, avancemos passo a passo.

Tome a coexistência que quiser. Convivência. Coabitação. Colaboração. Coação. Corrupção. Cooperação. Como já dissemos antes, esse "co" que vem antes indica sempre alguma atividade com mais alguém.

O mundo que se apresenta e participa da nossa vida, nesse caso, é alguém como nós. Com muito em comum.

Mas também com muito de particular, de diferente. É um Outro. Com maiúscula porque cadeiras e mesas também são mundo. E outro para cada um de nós.

Esse Outro que é humano sente, pensa, fala, age, se movimenta, reage, se manifesta. Só que tudo isso de um jeito que não coincide com o nosso. Realiza tudo "mais" ou "menos" diferente do que faríamos nós. A ponto de discrepar abissalmente da nossa conduta habitual.

* * *

A presença desse Outro na vida de cada um de nós é uma verdadeira usina de mensagens – com funcionamento 24/24. Ele, por ele, vive. Age. Segue em frente. Vai existindo e pronto. Mas, para nós, que o observamos, contemplamos, suas manifestações comunicam. Somos seus receptores.

* * *

O mundo como um todo – quando por nós flagrado em seus infinitos fragmentos – converte-se em mensagem. Enquanto receptores, expomo-nos seletivamente, recortamos, flagramos em perspectiva, atribuímos maior ou menor atenção, percebemos, interpretamos, atribuímos significados, retemos por tempo mais ou menos longo. O mundo torna-se nosso. Traduzido por nós.

Quando o mundo é o Outro, humano como nós, também acontece isso.

* * *

Para além dos recortes, perspectivas, significados, lembranças, os mundos encontrados nos afetam. Fazem oscilar nossas resistências. Alteram nossa potência. Para agir e para pensar. Alguns mundos – quando encontrados por nós – em relação com nosso corpo e nossa alma compõem bem. São mundos que nos caem bem. Nos fazem bem. E alavancam nossa potência. Já outros, bem ao contrário. Quando o mundo é o Outro, também acontece isso.

* * *

O agir do outro é mundo que, em grande medida, não se encontra sob nosso controle. A maneira como esse agir e seus efeitos afetivos ensejam novas ações será a pedra de toque do encaminhamento bem-sucedido ou fracassado da interação.

Até aqui o leitor tem o direito de – com a ironia que lhe é peculiar – jogar-nos na cara um "Ah, vá?!?!?! Não diga". Reconhecemos. Tudo perfeitamente inscrito na esfera da obviedade.

Não importa. Vamos seguir assim. Porque chegará o momento de dúvidas legítimas. Toda arrogância cobra seu preço na primeira esquina.

* * *

248 | *XÁ-KU-NÓIS*

A filha recebe o namorado. Cabelo diferente do que você usava com a mesma idade. Indumentária idem. Comportamento – você não sabe dizer exatamente a razão, mas não inspira confiança. E agora?

Há um zilhão de comportamentos possíveis, esperando pela sua manifestação. Você pode considerar esse real ou esse mundo – em forma de namorado da filha –, e sua especificidade, como estranho, esquisito, inadequado, vulgar, desalinhado, torto, e muitas outras coisas mais.

Mas tudo isso é porque você já o esperava com um modelo mental todo pronto. Ávido por avaliar. Por contrastar. Por identificar o que não coincide.

Se tivesse comparecido mais desarmado, talvez se limitasse a ver as coisas como são, o mundo como é, e o namorado junto. Um humano como você. Porque o mundo – por ele – não é nem estranho, nem diverso, nem discrepante, nem inadequado, nem nada. Por ele mesmo, ele só é. O resto fica mesmo só por sua conta.

* * *

Aliás, imaginemos uma situação que só cabe em nossos delírios.

Tudo que você encontra no mundo coincide exatamente com o que você esperava encontrar. As percepções vão confirmando, passo a passo, a cada instante, o mundo imaginado em seu espírito. Já imaginou?

O leitor poderia dizer: nesse caso, não haveria decepção, frustração, desilusão e as tristezas decorrentes. Talvez.

Mas, ao mesmo tempo, nesse caso de adequação implacável da realidade ao imaginado, a vida não ofereceria surpresa alguma. Desapareceria o inédito. O surpreendente. O encantador. O inesperado. E junto, a curiosidade. O estudo. A investigação. O aprender. O descobrir.

Que valor poderia ter a vida sem tudo isso?

Quando o mundo é o Outro, humano como nós, acontece a mesma coisa.

Sem um pouco de inusitado, a convivência não teria a menor graça. Vida de tirano. Vida de autoritário. Vida de ditador. Vida pobre. Vida que já acabou. Falta só se dar conta.

Tudo isso para dizer que sem alguma tolerância com essas surpresas trazidas pela conduta do outro, não rola conviver. Muito menos cooperar.

* * *

Uma palavra sobre tolerância. Quem sabe duas.

O primeiro degrau de enfrentamento de um tema costuma dar a palavra a um certo senso comum. Mesmo que para abandoná-lo em seguida.

250 | XÁ-KU-NÓIS

Começamos pelos múltiplos sentidos. Há nuances relevantes no emprego do termo. Significados não completamente coincidentes. Uso polissêmico.

* * *

Minha filha Natália é intolerante à lactose. O que essa intolerância quer dizer?

Que produtos com lactose produzem, em seu corpo, efeitos desarmonizadores, considerados pelas estatísticas das ciências da saúde como fora de uma certa normalidade e, portanto, patológicos. A lactose bagunça as relações entre algumas partes do seu corpo, resultando num todo menos potente.

Perceba que essa intolerância é comumente empregada em situações tidas como excepcionais. Uma incompatibilidade que não é genérica, mas particular.

Desse modo, ninguém diria que é intolerante a veneno de rato. À cicuta. À carne estragada. À corda que impede a passagem de ar pelo pescoço. À bala de revólver.

Embora o seja. Como todo mundo.

O que todos esses elementos têm em comum? Tanto os que fazem mal só para alguns quanto os que lastimam a todos, nenhum deles é uma pessoa. São coisas do mundo que não toleramos. No sentido de não suportar. De fazer mal. De causar desarmonia interna. Entre as partes que nos constituem.

Outro ponto em comum. Entre a lactose, a carne estragada, a bala de revólver e a corda. Em nenhum desses casos a intolerância está vinculada a uma deliberação. Com mais razão ainda a alguma decisão. O desconforto produzido pelo mundo nada tem a ver com a nossa vontade.

* * *

A intolerância que nos interessa aqui, mais de perto, não diz respeito ao nosso organismo ou às partes que o constituem. Para o tema da cooperação, a intolerância aponta para a nossa vida em sociedade. No sentido de dificultá-la, claro.

Trata-se de uma questão de relação entre pessoas. Seus modos de falar, de se entreolhar, de se julgar, de se comportar uns em relação aos outros. E na relação com os outros.

Nesse caso, bem ao contrário da lactose, a intolerância pode se tratar de uma questão de deliberação e de decisão. Uma questão moral. E a eventual tolerância em face do Outro, uma virtude. Para a qual cabe considerar treinamento, exercício, aprendizado, educação, formação.

Na virtude da tolerância, aprendemos a não nos deixar afetar negativamente pelo comportamento do Outro. Como resultado, não nos perturbaríamos pelo fato de o Outro viver de modo diferente. Nesse caso, a formação culminaria numa blindagem afetiva.

Ou o treinamento para a tolerância incidiria sobre a forma de administrar o afeto, sobre o agir, o reagir, o interagir?

Aqui, a ênfase seria comportamental. Teria por objeto a própria atitude em face do Outro, seu pensamento, seu discurso, suas opiniões, suas ações.

Melhor apostar em ambos. Formação afetiva e comportamental.

* * *

Para além dessa distinção entre a tolerância orgânica e a tolerância social, um segundo andar de reflexão sobre o tema merece ser enfrentado aqui.

Será que a vida soberana e autônoma de alguém deve ser objeto de simples "tolerância" por parte de algum Outro?

Tente abandonar o uso da palavra tolerância já experimentado na sua vida social. Apenas me acompanhe.

Observe as seguintes frases: "Eu tolero que você pense diferentemente de mim"; "Eu tolero que você se vista de um modo que não me agrada"; "Eu tolero que você tenha valores existenciais distintos dos meus"; "Eu tolero que você torça pelo time adversário do meu"; "Eu tolero que você vote no partido que não é o meu"; "Eu tolero que você defenda bandeiras que não são as minhas", e assim por diante.

Tivemos que repetir o "eu tolero" em cada frase para que ficasse mais claro o que vamos tentar propor.

Suponha que você seja o interlocutor a quem fosse dirigida alguma dessas frases. Para resumir todas:

— Eu tolero que você exista desse jeito aí, diferentemente de mim.

Como se sentiria? Como interpretaria a iniciativa de quem está enunciando? Como reagiria – de bate-pronto – a alguma dessas tolerâncias?

Veja como as ideias – quando comunicadas – podem se prestar a entendimentos bem distintos.

Se alguém diz tolerar o jeito de pensar, de agir, de viver do Outro, significa que não "não tolera". Que não é intolerante. Que está disposto a interagir dada essa não coincidência. Logo, é possível um entendimento positivo de todas aquelas manifestações de tolerância.

* * *

Mas nada impede que tenhamos um olhar bem diferente para as mesmas afirmações. Aliás, se estivéssemos num bar, eu te diria que esse segundo olhar é mais provável e até aceitável. Em que medida?

Ora. Se alguém me diz que tolera que eu pense como penso, que eu diga o que penso, que me comporte como me comporto (sem que haja de minha parte atos ilícitos, não éticos, inaceitáveis), tenderia a perguntar-lhe por quem se toma. Que estou cagando na pia ante a sua tolerância. Que não careço da aprovação ou autorização de ninguém para viver com autenticidade a minha vida etc.

O leitor terá compreendido. A tolerância, manifesta naquelas afirmações, indica uma presunção de superioridade. De poder, portanto. De autoridade.

Como se de um momento a outro pudesse não mais tolerar. Desautorizar pensamentos e práticas. Inviabilizar a vida soberana. Dar um basta em tudo com o que não concorda.

Como se a tolerância anunciada comunicasse seu contrário como possibilidade. Uma ocorrência iminente. E a vida como ela é não passasse de uma concessão do virtuoso tolerante.

* * *

Um exemplo suplementar.

Estamos escrevendo este livro sobre cooperar. Suponha que algum autor – conhecido e reconhecido pelo grande conhecimento do tema que estamos tratando – tome a palavra em um simpósio e afirme:

— Eu tolero que vocês dois escrevam sobre cooperar.

Ora. Em que pese a legitimidade desse que tolera, a afirmação denuncia uma superioridade presumida que soa como afronta. Parece sugerir o contrário do afirmado. Que, em realidade, trata-se de uma licença provisória. Condicionada a bom comportamento. E que pode ser revogada discricionariamente. Sem justificativa ou aviso prévio.

Uma indulgência.

De tempo e espaço.

A aula na faculdade começava às 19h30. Mas havia uma tolerância por parte do professor de quinze minutos. Por causa do trânsito.

Proibido estacionar na faixa de pedestre. Com alguns centímetros de tolerância.

Semelhante ao pai que deixa o filho brincar dentro de casa porque está chovendo lá fora. Ele tolera. Por enquanto.

Quem tolera avisa o poder de interromper. De abortar. De não tolerar mais.

— Dessa vez eu vou deixar passar. Na próxima, já sabe. É gancho. Direto.

A tolerância, muitas vezes, nos coloca numa faixa intermediária entre o absolutamente permitido e o absolutamente proibido. Não é permitido, mas há tolerância. É proibido, mas há tolerância.

O poder abre uma brecha. Seja para salvar os dedos, perdidos os anéis. Seja como compensação ou barganha. Seja pela simples mudança de interesses por parte de quem pode exercê-lo.

Lembro-me de um amigo muito ciumento. Que marcava em cima a sua namorada. Assegurava não tolerar sequer um olhar oblíquo. Quanto mais experiências táteis. Ante tanto rigor, oferecia em troca a mesma conduta que exigia. E, claro, dava à moça a prerrogativa de descontinuar a relação quando não suportasse mais.

Mas foram indo. Aparentemente sem grandes sobressaltos. Um dia, escanhoando a barba no vestiário, abriu-se comigo. Disse que só toleraria alguma terceirização afetiva da parte da namorada no caso de uma eventual parceira.

* * *

Em nível público, por falta de meios para fazer cumprir a norma, busca de legitimidade pelo caminho mais curto ou imediato ou ainda pela ocorrência esculhambada, traduzida pela famosa expressão "a lei não pegou".

De fato, não são poucos os delitos recorrentemente cometidos e tolerados. Num esquema de vistas grossas abençoado pelos que contam.

Por vezes, a tolerância aumenta em função do chamado sujeito ativo. A que grupo ou classe social pertence. Cor de pele, indumentária, aparência em geral, local de residência, forma de se expressar, capital relacional, tudo isso conta muito na hora de definir o padrão de tolerância.

* * *

Existe – para além do ódio – um desejo de viver em paz com os demais. Uma benevolência em face do outro, seja ele quem for. Desse ponto de vista, a tolerância é um traço constante da vida de muitos.

Poderíamos dizer que, em todas as épocas, sempre coexistiram indivíduos fanáticos, capazes de matar pela simples discordância, e indivíduos tolerantes. Que consideram a vida do outro um bem de valor superior ao do triunfo de suas ideias.

Assim, no seio mesmo das distintas organizações, religiosas ou laicas, há gente disposta a tudo para fazer triunfar um ponto de vista e gente que não vincula o sentido absoluto da própria existência a essa condição.

* * *

O comportamento associado à tolerância não é o mesmo ao longo do tempo. Poderíamos dizer que a tolerância – enquanto princípio ético – tem uma história. E o conceito que pretende dar conta desse jeito de ser também tem a sua. Claro.

Muitos são os relatos de pretendentes ao poder que, após um autêntico banho de sangue, governam com sabedoria, ouvindo a todos, buscando a justiça, o equilíbrio, com grande sobriedade.

A começar por Zeus. Que depois da devastadora guerra dos deuses, pôs ordem na casa, distribuiu o universo entre os seus correligionários e certificou-se de que estavam todos

258 | XÁ-KU-NÓIS

de acordo com a divisão proposta. Tendo engolido sua esposa Têmis, a justiça, bem como a outra esposa, Métis, a astúcia, esse superdeus deu por várias vezes prova de muita tolerância. Na Índia, a mesma história. O imperador Ashoka toma o poder aos 20 anos. Para assegurar seu domínio, os primeiros anos de governo são marcados pelo autoritarismo e grande crueldade. Depois de sangrenta batalha, ele muda. Entende que seu sucesso militar corresponde a um grande fracasso humanitário. E passa a governar com grande tolerância.

Veja um exemplo do que estabeleceu a respeito do seu governo escrito sobre pedra: "Aquele que ao defender sua própria religião – com zelo excessivo – condena as demais, leva à desgraça a sua própria. Devemos escutar e respeitar as doutrinas professadas pelos demais".

* * *

Há, portanto, uma tolerância de segundo tipo. Que não é uma simples concessão. Uma indulgência.

Trata-se de um reconhecimento. Aceitar que o outro tem direitos. Equivalentes aos próprios. Prerrogativas. Desejos. Pretensões. Pontos de vista. Ambições. Que não são, de direito, inferiores aos próprios. E, portanto, não podem ser apenas tolerados no sentido de suportados, aguentados, num gesto magnânimo de cedro em vertical.

Reconhecer o direito, cujo exercício não depende da minha boa vontade, de pensar o que pensa. De agir como age. De vestir o que veste. De dizer o que diz. De gostar do que gosta. De ser o que é. E de viver como quiser.

Reconhecimento de uma liberdade completa. Definida em lei.

Um reconhecimento que não poderá ser retirado, restrito, postergado ou dilacerado segundo as variáveis da contingência de quem tolera.

* * *

O leitor pode ponderar. Mas se o Outro tem um direito, pode fazer o que quiser sem transgredi-lo, com ou sem tolerância. Se é seu direito, isso basta.

Assim, a prerrogativa de ir e vir dispensa olimpicamente a tolerância de quem quer que seja. É direito seu.

Atribuir valor às coisas do mundo segundo seus próprios critérios, sem ferir o ordenamento jurídico, é um direito. Não carece de tolerância adicional alguma para se realizar.

Tatuar o corpo com dizeres em árabe extraídos dos ensinamentos do profeta Maomé é um direito de cada um. Que não está vinculado à tolerância deste ou daquele oráculo.

Vestir-se de rosa, sendo homem, ou de azul, sendo mulher, é um direito. Que dispensa toda e qualquer bênção tolerante desta ou daquela autoridade, porta-voz de moral crômica.

260 | XÁ-KU-NÓIS

Não há o que tolerar ou não tolerar. Nos limites da lei, cada um faz o que quer.

A luta de um povo escravizado, de um grupo oprimido, de um homem acorrentado não é por tolerância. E sim por liberdade. O direito de pensar e agir livremente não resulta de clemência ou piedade. Como culpados perdoados.

* * *

Havendo leis que definem direitos e garantem liberdades, não há que falar de tolerância. Estamos de acordo.

Com duas observações.

É preciso que os direitos e as liberdades não se restrinjam uns aos outros. Usar a liberdade de fala para proibir o ir e vir, o culto a Maomé, as tatuagens, vestir rosa e o próprio falar do Outro.

Como reitera a sabedoria popular, a liberdade de uns começa quando termina a dos outros.

Por isso, supomos ser capazes de viver juntos sem precisar nos estapear. Eis o que promete a civilização. E o que pretendem garantir a ética e a moral.

Esses limites de liberdade não implicam a presença de nenhuma tolerância. Cabe aos legisladores a definição dos orbitais de ação lícita. E nada mais.

* * *

A segunda observação é menos chapa branca. Menos oficialista. E, portanto, menos civilizada.

Sabemos todos que a vida do dia a dia, no cotidiano dos encontros entre corpos de carne e osso, nos múltiplos espaços de convivência, vai muito além do previsto nos textos legais.

E que Estado nenhum dá conta de passar em revista de forma exaustiva as ações de todos, julgá-las e dar-lhes consequência jurídica.

Um entre infinitos exemplos possíveis. Em tempos em que as arquibancadas de estádios podem ser frequentadas por ocasião de eventos esportivos, a entrada dos árbitros costuma ser saudada com afirmações injuriosas de toda sorte.

Perceba que, no vazio deixado pela lei e sua eficácia, a tolerância começa a reconquistar seu espaço.

* * *

A liberdade de falar está proclamada em muitas sociedades. Mas alguns ou muitos não são ouvidos. A liberdade de culto é objeto de normas constitucionais em muitos países.

Ainda assim, há perseguições, agressões, intimidações, atentados e muito mais a quem cultua outros deuses.

Em muitos diplomas legais há listas de direitos fundamentais com garantias de vida digna, educação, saúde e muito mais. Todos seriam iguais para além de gênero, idade, renda e o escambau.

Ora, sabemos bem que não é assim que a banda toca. O que há é discriminação de todo tipo. Que o digam mulheres, negros, homossexuais e tantos outros.

* * *

A professora e filósofa espanhola Adela Cortina escreveu recentemente uma obra de notável profundidade e acuidade reflexiva sobre o que ela denomina aporofobia. Isto é, o horror a pobre. Ou a todos que são percebidos como tais.

Fazendo lembrar a famosa personagem de Chico Anysio, o deputado Justo Veríssimo. Político demagogo e coronelesco, cujo bordão "Quero que pobre se exploda!", encontra reverberações atualíssimas no nosso Congresso.

Por isso mesmo, não há que tolerar tudo. Não há que fazer vistas grossas ao que é indigno. Tampouco reconhecer como liberdade ou direito o que não deve nem pode ser reconhecido.

O que avilta. O que deprecia. O que humilha. O que despotencializa. O que ofende. O que calunia. O que difama. O que injuria. O que subtrai indevidamente. O que mata. O que escraviza. O que não reconhece. O que não tolera.

Não há cooperação sem tolerância. Não há cooperativa sem tolerância. Não há que cooperar com o que é canalha.

CAPÍTULO 19

Aqui tem um bando de loucos

Hora de falar de pertencimento e seus afetos. Tema deste capítulo 19.

* * *

Afinal, somos um time. Mexeu com um, mexeu com todos. Porque aqui tem um bando de loucos. Um por todos. E todos por qualquer um. Galera do gueto. Uma célula. Na máfia funciona assim. Tem nós e tem o resto. Os mano contra a rapa.

O pertencimento é um fato social que pode suscitar afetos correlatos.

Uma alegria de fazer parte. Uma potência que sobe por integrar. Por vestir aquela camisa. Por ser um deles. Por ver-se incluído. Uma euforia de saber-se e dizer-se membro do grupo. É tudo que se tem. Se não for tudo, é, sem dúvida, o mais importante. O que faz bater no peito. Orgulho no olhar e na cabeça erguida.

As sensações advindas de qualquer pertencimento variam em função das características do grupo a que se pertence.

E que características seriam essas?

Sem pretender ser exaustivo. Em primeiro lugar, as condições de acesso, isto é, os atributos exigidos de que o pretendente deve fazer prova, a maior ou menor porosidade na integração de novos membros. Desde os processos seletivos mais formais, como aqueles por concurso, até as virtudes observadas no mais estrito cotidiano.

Assim atestam afirmações como:

— Aqui não entra qualquer mané. Precisa ser sangue bom. Não é agindo desse modo que você será aceito por eles!

Em segundo lugar, também incidem sobre as sensações de pertencimento a estrutura interna do grupo, o funcionamento das suas atividades, os processos decisórios e o exercício efetivo do poder.

Em terceiro lugar, as relações que o grupo mantém com o seu exterior. Todo grupo, simplesmente por existir enquanto tal, com suas fronteiras simbólicas, seus movimentos internos, acumula algum tipo de capital que disponibiliza a seus integrantes para uso externo.

Essa conversão de capital institucional em capital pessoal é um dos grandes atrativos de todo pertencimento.

De fato, na imensidão das relações sociais não é fácil conseguir se impor apresentando-se apenas com recursos de indivíduo. Silvias ou Jerônimos tendem a ser esmagados no confronto com quem fala em nome de muita gente. É preciso ter comido muito feijão para conseguir se impor por si só.

Ocorreu neste instante, para dar conta com arte desse sentimento de pertencimento, a letra da canção de Daniel Balavoine, "Quand on arrive en ville", da ópera rock *Starmania*.

Quand on arrive en ville/ Tout le monde chance de trottoir/ On n'a pas l'air viril, mais on fait peur à voir/ Des gars qui se maquillent ça fait rire les passants/ Mais quand ils voient du sang sur nos lames de rasoir/ Ça fait comme un éclair dans le brouillard/ Quand on arrive en ville.

Quando a gente chega à cidade/ Todo mundo muda de calçada/ Não temos aparência viril, mas causamos medo só de ver/ Homens que se maquiam fazem rir os transeuntes/ Mas quando eles veem o sangue nas nossas lâminas de barbear/ Que são como um raio na névoa/ Quando a gente chega à cidade.

* * *

No mundo profissional, as emoções decorrentes de toda integração organizacional também variam muito em função das características do grupo, bem como do modo que nos encontramos nele inseridos. Em meio a muitas possibilidades, é possível que esse pertencimento seja o grande destaque da nossa identidade. O que de mais importante temos a dizer sobre nós mesmos.

Eis o sonho de todo líder. Uma equipe tão equipe quanto os grupos citados acima.

Mas todo bom líder sabe disto: por mais fortes que sejam as sensações positivas de integração, a vida afetiva no interior de uma organização é sempre sujeita a chuvas e trovoadas. E aí, do orgulho à vergonha, a coisa pode resvalar no intervalo de um elevador em parque de diversões. Cem por cento gravidade.

O certo é que, para o bem ou para o mal, na hora de nos definir perante o mundo, sempre que isso se faz necessário, arrolamos nossos múltiplos pertencimentos. Em alguns casos, para termos algo a dizer. Em outros, porque são de fato um trampolim para a nossa maior distinção.

* * *

Em meio a toda consciência do mundo ao nosso redor, sobra algo a respeito de si mesmo. O que cada um de nós acha que é. De novo, as palavras ajudam. Por isso mesmo, esse tal de "eu" acaba virando um belo de um discurso. Uma narrativa.

Como já dissemos, a sociedade chegou primeiro. Logo, os signos são aprendidos nela. Com ela. A partir dela.

Não seria diferente na hora de nos definir. As palavras que nos definem nos chegam de fora. Foram primeiro ditas por alguém. Muitos, talvez. E só depois apropriadas por nós mesmos. Para esse fim tão cobrado pela sociedade. O de ter na manga uma definição de si mesmo.

* * *

Mas cabe uma pergunta.

Será que é só isso mesmo? Será que não passamos de meia dúzia de frases que repetimos em situações sociais distintas para pessoas que ainda não sabem quem somos?

Tipo:

— Sou professor, trabalhei em tais e tais lugares. Lecionei isso ou aquilo. Nasci não sei onde. Meu pai me obrigava a nadar. Perdi quase toda a visão.

Penso que não. Afinal, nessas informações nada consta a respeito do que estou sentindo nesse instante. Essa sensação diz muito sobre nós. Muito mais do que as bobagens das linhas acima.

A realidade humana é, antes de mais nada, uma realidade afetiva. É em torno das nossas emoções, alegrias, tristezas, temores, esperanças, humores que se reúnem as coisas da vida.

Nesse sentido, esses dados curriculares higienizados, que parecem confinar nossas emoções a um departamento "que fica lá no subsolo", podem dar conta das exigências da ribalta civilizada. Mas não querem dizer nada. Não chegam sequer a ser fúnebres. São vida nunca vivida.

* * *

Claro que podemos entrar na onda de quase todo mundo.

E falar de política, de economia, dos resultados da rodada, de novos clientes, de um ganho inesperado, das perdas mais do que anunciadas, de mudança, de inovação, de resiliência, de assertividade, de iniciativa, de protagonismo, de profissionalismo, de competência e de tudo mais que nos passar pela cabeça.

Podemos fingir não saber que tudo que fazemos se realiza com os sentimentos. Que eles nos empurram para o que nos atrai. Que nos puxam ante o que nos repugna. Fazem-nos desviar do que nos ameaça, ir atrás do que supomos nos faça bem.

Mas até mesmo a lucidez mais racional resulta de um desejo de pensar lucidamente.

É um afeto que levou o André Barbeiro, filho do Seu Alexandre, até o México pra dar aula de Matemática, depois do doutorado na Polônia. É outro afeto que fez o Daniel oferecer aos amigos aulas de filosofia toda quarta-feira durante a pandemia.

O investidor que especula na bolsa também é conduzido por afeto. Bem como o jogador que não deixa o cassino enquanto ainda estiver vestido. Dona Nilza e dona Luzia sempre usavam a expressão "deixar até as calças" para situações de grande perda econômica.

E você que, de fora, de cima, de longe, se mete a julgar essas iniciativas, talvez não saiba, mas seu julgamento também é movido por um afeto.

Alguns parecem preferir viver uma vida definida pelas equações da razão. Mas mesmo essa preferência é encaminhada por um afeto. A inteligência não funciona sem emoções. Se nos mutilassem o cérebro, perderíamos as emoções. E, por consequência, estaríamos impossibilitados de atribuir valor, de deliberar, de decidir. Sem valor, desaparecem as prioridades. Os propósitos. As estratégias. Vidas vegetadas na calmaria de uma samambaia sem vento.

* * *

Mas em que consiste essa vida afetiva?

Comecemos pelo despertar. Muitos já se levantam da cama em ritmo de batalha. Pilhados. São pessoas do mal. Estou sendo irônico. É só inveja. Humilham as outras, tamanha a façanha de que são capazes. Outros, pessoas do bem, levam um certo tempo para se colocar em marcha. Quatro ou cinco horas, se forem realmente virtuosas. E, uma vez de pé, ainda permanecem entre o sono e a vigília.

Há momentos, ao longo do dia, em que nos sentimos bem. Desempenhamos as atividades com fluência. Por vezes, com bastante intensidade. Raramente nos damos conta disso.

270 | XÁ-KU-NÓIS

Dar-se conta aqui significa trazer para a consciência, em forma de discurso interno, esta constatação:

— Puxa, neste instante da vida, estou voando baixo!

Você vive e pronto.

Em outros momentos, sentimo-nos indispostos. Arrastamo-nos. Os mais simples movimentos do corpo e do espírito demandam grande sacrifício. Nesses casos, o flagrante consciente em forma de explícita avaliação é mais provável: "Estou o 'ó do borogodó', 'só o pó da rabiola'".

Tudo isso nos mostra que nossa energia vital – isto é, nossa potência para agir e para pensar – oscila. O tempo todo.

* * *

As causas possíveis dessa oscilação são muitas. Daí a dificuldade para identificá-las e a enorme chance de erro nessa identificação.

Somos constituídos por partes. Átomos, células, tecidos, órgãos, sistemas, tudo isso em relação. Qualquer microparte que der chabu compromete o todo. E a potência despenca. Se a medicina isola o cerne do problema, a potência resulta sempre da harmonia no todo.

Alguém pode ter problema de fígado. Vai tratá-lo. Com um especialista. Estando esse órgão em relação direta com outras partes do corpo, essas também estão comprometidas. E como essas últimas estão em relação com outras ainda, sofrem por tabela. E assim sucessivamente. O resultado é potência em baixa.

Se o fígado melhorar, restabelece-se aos poucos a harmonia de toda a cadeia.

* * *

Além dessas relações que nos são internas, nosso corpo, por sua vez, está no mundo. Em relação ininterrupta com tantos outros. Alguns compõem bem com o nosso. Outros, nem tanto.

Os primeiros – pelo próprio fato de estarem em relação – são contributivos. Ajudam-nos a resistir. São unidades de real que, de fora, arredondam o fluir das relações entre as partes de dentro.

Lembro da infância. E um tal de dínamo para o farol da bicicleta. Algo que lhe era exterior e contribuía muito com o que estava dentro, com a bicicleta propriamente dita. Dínamo é palavra que vem do grego: potência.

Na informática há muita coisa externa ao computador que aumenta suas possibilidades de ação.

Na vida de homens e mulheres há dínamos. Realidades externas que determinam ganho de potência. Contamos todos com isso. Coisas, espaços, pessoas. Precisamos disso para mantê-la em alta.

* * *

272 | XÁ-KU-NÓIS

Mas, claro, também há no mundo corpos que, na relação com o nosso, decompõem. Não se harmonizam. Quando há incompatibilidade.

Para os que já realizaram algum transplante ou se interessam por isso, tem aí um ótimo exemplo. Você pode colocar um órgão de alguém no lugar do seu. Mas precisa ver se rola. Se harmoniza. Se são compatíveis.

* * *

Ao longo da nossa trajetória, vamos encontrando o mundo. Sempre em pedaços. Em fragmentos. Nos limites da nossa percepção. Alguns desses encontros resultam da nossa decisão. Com o dentista, o namorado, os colegas da classe, o professor, o atendente na padaria. Também com as coisas que nos cercam. Das quais nos servimos, como camas, máquinas e louças.

Em todos esses casos, de mundos encontrados por decisão, haverá sempre busca do que supomos nos seja útil, isto é, que determine em nós algum ganho de potência, de energia para viver.

No entanto, muitos encontros não resultam de nossa deliberação ou decisão. São mundos que se apresentam e pronto. Chegam devagar ou de uma vez. Fazem-se anunciar ou atravessam de inopino. Quando você viu, já estavam ali, em franca relação. Interagindo sem cerimônia.

Nesses outros casos, a coisa complica. A vida fica à mercê do que vai acontecendo. Fora do seu controle. Mundos do bem e mundos do mal vão se sucedendo sem que você possa fazer algo para discriminá-los *a priori*. Devastação iminente. Surpresas boas possíveis. Nunca se saberá.

* * *

Chamamos de alegria quando o resultado em nós do encontro e da relação com o mundo é positivo. Isto é, quando se produz para nós um ganho de energia vital. Quando passamos de um estado de menor para outro de maior potência. Tudo de bom. Insuperável.

Trata-se de uma exuberância. Uma exaltação da vida.

A própria perfeição. Porque perfeito é mais vida na vida. Mais intensidade na hora de existir. O resto é convenção. Acordo entre as pessoas a respeito do jeito certo de pensar, de agir, de produzir etc.

O mundo encontrado determinante da alegria, isto é, a sua causa, tem para o afetado um significado. Como uma boa notícia. Em forma de discurso, de relato, permite ao receptor uma recepção que reconstrói. O que foi dito e ouvido é alvejado por aproximações, deduções, inferências, exclusões que ensejam sensações muito boas.

Por isso, é frequente que esses relatos acabem desencadeando bruscamente o afeto de alegria. Por vezes, brutalmente. O que explica a expressão, tão comum em vários idiomas, "explosão de alegria". Há quem fique "louco de alegria". Expressão nem sempre tão metafórica.

Uma conduta mágica que tende a realizar – por encantamento – a posse do objeto desejado como totalidade instantânea. Uma posse antecipada por um fiapo. Um gozo ultraiminente. É como Sartre a vê.

Mas de que posse antecipada estaríamos falando quando a alegria é causada por uma nota alta numa prova difícil? É preciso ter um entendimento bem amplo dos termos para conseguir entender. Nota, aprovação, promoção, nova condição de vida e por aí vai.

Dessa forma, o afeto de alegria não é um fato psicológico isolado. Busca a mais ampla e imediata irradiação possível. A contaminação da consciência no seu todo.

Distingue-se, por isso, de um simples prazer. Este, seja puramente físico, seja espiritual, tem incidência restrita. Tanto que podemos experimentá-lo sem alegria. Como um beijo na boca, prazeroso, mas triste.

E de tristeza, o contrário de tudo isso. O despencar da potência. A imperfeição em estado bruto. Nua e crua. A aproximação mais ou menos rápida do zero. Do fim.

Tudo isso nos faz pensar numa vida afetiva tipo montanha-russa. Afinal, com tanta coisa participando, incidindo, você fica mesmo vendido nesse sobe e desce que parece não acabar.

CAPÍTULO 20

A alma é a consciência do corpo

Este último capítulo é sobre a consciência de si.
E o outro como espelho para essa descoberta.

* * *

Eu coopero o tempo todo. Trabalho numa cooperativa inclusive. Mais do que meu ganha-pão, essa cooperativa onde trabalho é o meu melhor espelho!

Como acontece com qualquer espelho, a partir dela descubro quem sou. Mas também como estou agora. Em quem o mundo me converteu de ontem para hoje.

Que foi? Achou esquisito?

— Achei, sim. Como pode uma organização, um espaço de trabalho, de produção ou de prestação de serviço ser um espelho? Não entendi.

Agora que já falamos da nossa potência de agir e de pensar, da sua oscilação, dos encontros com o mundo, das relações, das alegrias e das tristezas, dos temores e das esperanças, eis o momento de aprender que o mundo nos ensina muito porque nos faz sentir de um certo jeito ante cada um de seus fragmentos, em cada momento de interação.

* * *

Toda manhã, ao despertar, abro os olhos. E o que vejo? Em primeiro lugar, o despertador. Para poder desligá-lo quanto antes. Só depois, os chinelos e a escova de dente, nessa ordem.

Mas o que exatamente acontece? Por que vejo essas coisas?

E você mesmo responde:

— Porque elas estão ali perto de mim, uai.

Mas como se realiza a visão? Onde os olhos veem o mundo?

O que vejo é luz que reflete o mundo. Fótons de luz que me atingem. Que golpeiam os olhos. Por isso não vejo o mundo no escuro.

A visão, ela mesma, ato de perceber as coisas por meio de imagens, se realiza, portanto, por mim e em mim. Se uma cadeira se apresenta à minha percepção, não é nela, cadeira, que eu a vejo. E sim em mim mesmo.

A materialidade do que se vê da cadeira não é propriamente a cadeira que supomos ver no mundo, como a árvore lá fora ou o amigo do outro lado da rua, mas os fótons que os refletem em mim.

O estilhaço de mundo refletido captura o olhar. Nunca o contrário.

Ao pedir para alguém sair da frente de modo a nos permitir a visão de alguma coisa, não solicitamos um olhar direto sem obstáculos com aquilo que queremos ver. O que esperamos é que os fótons de luz específicos, isto é, aqueles que carregam o objeto que nos interessa, possam chegar até nós.

É a luz que precisa passar. Luz que, muito afoita, procura seus olhos trazendo com ela o último aceno choroso da amada, na porta do quarto do hotel pequeno.

Pobre luz. Nenhuma chance contra o corpo do obeso forasteiro e sua insensibilidade – outra que não passava despercebida – à espera do elevador.

Eu, pessoalmente, entendi melhor esse negócio de visão quando a retina – bem coladinha – necrosou. Pode jogar a luz que for. Fim da linha. Pra mim enevoou. E será sempre assim. O resto é relato.

* * *

278 | XÁ-KU-NÓIS

Mas não é só a *visão* do mundo que se realiza em nós.

A primazia que demos ao mundo percebido pela visão se justifica por estarmos cuidando de espelhos. Mas cabe lembrar também que o mesmo se dá com os ruídos e a sua audição, com as rugosidades e o seu tato, os sabores e o seu paladar, os odores e o seu olfato.

O que ouço é onda que faz vibrar o tímpano, também em mim. Tímpano furado, mundo silencioso.

O tato desperta sensações. Todas em mim. No esfrega ninguém sente o outro. Tampouco pelo outro. Ou no outro. Sentimos apenas o nosso corpo. Tocado por esse outro. Só isso.

O paladar é questão de papilas. E da covid que as agride. Como também o olfato. Tudo em mim.

Sem o meu corpo não há mundo.

O mundo se manifesta no meu corpo.

É nesse que posso sentir aquele. Somos a medida do mundo, na conhecida fórmula de Protágoras. Medida desse mundo percebido, claro. O único que temos à mão.

Nosso corpo é a condição material da sua percepção.

* * *

Mas a coisa não acaba aí.

Se não tem mundo sem corpo, o contrário também é verdadeiro.

Tudo que podemos saber sobre nós tem origem na nossa relação com o mundo. Com seus infinitos fragmentos. No modo como nos afeta. Só sei de mim pelo jeito como o mundo me faz senti-lo.

Os mais lúcidos dentre nós conseguem entender-se cada vez melhor. Observar o que lhes acontece. Constatar que, na relação com os mais variados fragmentos de mundo, deixamo-nos afetar, mais recorrentemente, desse ou daquele modo.

E tais afetos, por seu turno, costumam se fazer acompanhar dessa ou daquela bobagem pensada ou imaginada.

Fica claro que todas essas descobertas se dão no mundo. Na relação com ele. No modo como essa relação se realiza em nós. Somos e nos descobrimos como tal à medida que nos vemos atraídos ou repulsados por isso ou aquilo, à medida que essas coisas nos deixam felizes ou tristes, quanto gostaríamos ou não de reencontrá-las etc.

A investigação sobre o eu se dá nas suas múltiplas relações com o outro. Ou com outrem.

No trabalho não é diferente.

Na cooperação com os outros, naquele espaço de cooperação, com os objetos que me circundam, vou descobrindo quem sou. Tudo ali é meu espelho mais fiel.

* * *

No capítulo anterior, pudemos ver quanto a vida afetiva nos faz oscilar entre ganhos e perdas de potência bem significativos.

Melhor assim. Não acham? Enquanto as subidas e descidas se sucedem, há vida, há resistência, há luta, há alegria possível, e essa vale as penas do existir.

Nem todos concordarão. A filosofia antiga, por exemplo, a começar por estoicos e epicuristas – adversários em quase tudo –, vinculava a vida boa a uma certa imunidade ante os sobressaltos afetivos provocados pelo mundo. Fazendo da tal da ataraxia a condição maior para uma vida boa.

* * *

Dessa forma, não é de se espantar que haja – da parte de muitos de nós – tentativas para reduzir os sobressaltos.

Para tanto, começam identificando o que faz bem. E o que faz mal. Os mundos que causam alegria. E os outros, que entristecem.

Essa tarefa implica associação causal entre duas constatações.

A primeira é: qual o mundo que se encontra em relação conosco. Que ora nos afeta.

A segunda é: o tipo de afeto que resulta dessa relação. Só então autorizamo-nos a arriscar o nexo entre ambas: aquele mundo encontrado é causa do meu afeto, isto é, do que estou sentindo.

Uma mulher letrada me sorri. Eis um fragmento de mundo percebido em relação conosco. Sinto-me bem ante aquele sorriso. Depois, em sua companhia. Essa sensação é o modo como meu corpo está interpretando o que está acontecendo com ele naquela interação. Trata-se do próprio afeto.

Suponho, então, que ela e seu sorriso sejam a causa desse meu bem-estar.

* * *

Você perguntará:

— Que vantagem Maria leva? Para que identificar – nessa espécie de tabela – as coisas do mundo que naquele momento causaram boas ou más sensações?

Acho que entendi o sentido da pergunta. Se o nosso corpo é alterado a cada instante e o mundo nunca é encontrado duas vezes identicamente, o resultado afetivo desse encontro – isto é, as sensações dele decorrentes – não se repete. Não absolutamente.

Há, portanto, virgindade em cada relação. Em cada afeto. É incontestável.

* * *

Basta lembrar aquele poema bonito de Murilo Mendes. Não por acaso, chama-se "Reflexão":

Ninguém se banha duas vezes no mesmo rio/ Deus de onde tudo deriva é a circulação e o movimento infinitos/ Ainda não estamos habituados ao mundo: nascer é muito comprido...

De fato.

Acreditamos, no entanto, que a compreensão do que nos acontece nos traz alegria. É possível – em meio ao ineditismo dos instantes existenciais – encontrar tendências. Se não repetições absolutas, um certo orbital de probabilidades.

* * *

Não é por acaso o amor. E a importância que assume na vida.

Trata-se de um afeto. Sensação do instante vivido. Um afeto alegre. Um ganho de potência, portanto. Mas que vem sempre acompanhado de uma ideia da sua causa. Uma causa exterior a essa própria alegria. Eis a definição que você encontra na Parte III da *Ética* de Espinosa.

Amar é sentir uma alegria que acreditamos não vir dela mesma, que supomos não poder se produzir por conta própria. Por isso, tem como causa algo que lhe seja exterior.

Pode ser uma coisa, tipo uma Coca bem gelada, uma pessoa, como Mariana Ximenes em *Chocolate com Pimenta*, ou uma ideia, como a sugerida por Montaigne no seu Ensaio VIII, a respeito de dar ao espírito uma atividade.

Perceba que, no amor, as alegrias sentidas não parecem tão aleatórias quanto no caos de quem perambula pela rua ou aperta freneticamente os botões do controle da televisão. No amor, o afeto parece assumir a condição de um estado. Que podemos – graças a essas causas identificadas e conhecidas – repetir patrocinando algum reencontro de forma mais regular.

O amor para quem ama parece uma vitória sobre a aleatoriedade da alegria sem causa conhecida.

Tanto que, quando você ouve no rádio uma canção que te alegra – mas ignora tudo sobre ela –, procura descobrir o cantor, o compositor, o título ou qualquer outra informação.

Para poder procurá-la. Ouvi-la novamente. Tirá-la do aleatório daquele encontro e colocá-la sob seu controle. Luta para passar da alegria desgovernada ao amor que acreditamos controlar. Nada impede que nos enganemos sobre a origem ou a causa da nossa alegria. É um erro de amor.

Mais ainda. O entendimento das relações entre o mundo e o nosso corpo – e suas sensações – incide sobre essas últimas. Pode parecer estranho, mas faz sentido.

Tomemos algumas situações:

— Você ouve uma música que nunca ouviu e gosta. O discernimento a respeito da "música" ou do "gosto" é praticamente nulo.

— Você ouve Supertramp e fica animado. Agora você conhece o grupo que compôs e executa a música e o "gosto" se converteu em animação.

— Você ouve "Logical Song", do Supertramp, no show em Paris, cerra os punhos e canta o refrão. O discernimento sobre a música e sobre o que está sentindo está aumentando.

— Você ouve "Logical Song", do Supertramp, num show em Paris, identifica a voz de Roger Hodgson, mas curte mesmo o refrão quando o grupo todo canta, e depois curte muito o som da gaita e do saxofone que são marca registrada do grupo, e nesse momento seu corpo todo parece se deslocar, acompanhando a balada, como se no palco estivesse.

Fique tranquilo. Não vou continuar. Gostaria apenas que você considerasse o que estou tentando explicar. A lucidez a respeito das sensações e suas causas não é afetivamente neutra.

* * *

A alma é a consciência do corpo. Consciência do que lhe acontece. De como sente o mundo. De como é afetado por ele. Das transformações que sofre. E, paralelamente, esse corpo sente em função da consciência que a alma dele tem.

Olha que coisa linda. Podemos interceder nas nossas sensações por intermédio do entendimento que venhamos a ter delas.

Mas melhor irmos devagar. Passo a passo.

* * *

O que conhecemos do nosso corpo?

Nossa consciência dele depende de encontros. De estímulos. Quando nada acontece, nada sentimos.

Na consulta, o médico cutuca e pergunta se estamos sentindo algo. Sabe muito bem que este é o caminho: estímulo, sensação, consciência do corpo. Tanto que os orientais, para estender a consciência de nossas experiências, treinam o "dar-se conta" da respiração, do contato dos pés no chão etc.

Dessa forma, o conhecimento que podemos ter do nosso corpo depende do mundo que o cutuca, que o estimula, que o encontra.

Você se dá conta da maravilha do que estou dizendo?

Se me dão goiabada para comer, o oferecimento vai além da iguaria. Muito além.

Estão dando a chance de um autoconhecimento único e incomparável. Se fosse geleia de jabuticaba, o que descobriria sobre mim seria outra coisa. Outra ainda, se me levasse a uma exposição de Dalí. Ou se me desse de presente um livro do Poeta.

Ora, o conhecimento que tenho de mim depende – ao menos num amplo primeiro momento – de um aleatório de encontros com as coisas do mundo patrocinado por este último.

Mais ainda. O tal do "eu", esse entendimento que cada um vai forjando de si, resulta de uma reunião de constatações flagradas, decorrentes de experiências que vão se sucedendo no acaso de uma trajetória entre infinitas outras possíveis.

* * *

Eu fico encantado com as ideias. Eu não sei se o leitor fecha comigo. Mas insisto em meu encantamento.

Quando meu pai lia para mim, todas as noites, estava fazendo mais do que contar histórias. Ia muito além de informar sobre as aventuras do detetive Bola, em *O gênio do crime*. Ou dos perigos em *A ilha perdida*.

Estava proporcionando encontros entre a materialidade do discurso lido, minha imaginação e os afetos dela decorrentes. Dando-me, assim, a oportunidade de constatar o que acontecia comigo ante essas narrativas. E, a partir daí, um certo entendimento sobre mim.

O eu seria outro para mim se meu pai não tivesse lido todas as noites. Vamos existindo – enquanto entendimento de cada um de nós – em função dos mundos que efetivamente nos estimulam.

* * *

Poderíamos pensar em todos os encontros não vividos. Nos mundos não encontrados. Nos estímulos não efetivados. Nas experiências que ficaram por um triz de ganhar materialidade.

Se um de nós – com o corpo que era o nosso na maternidade – tivesse nascido na Rússia, filho de bailarinos. Outro mundo. Outros estímulos. Outras sensações. Outros flagrantes. Outro entendimento de si. Outro "eu". Completamente outro.

Se no lugar do meu pai lendo tivesse tido um pai dançando, com uma mãe dirigindo seu espetáculo, teria feito – do mesmo corpo – outras descobertas.

Espelhos diferentes mostram diferentemente a mesma realidade que a eles se expõe.

* * *

Agora podemos voltar ao começo deste derradeiro capítulo. Com mais ideias no bucho. E mais bem apetrechados para dar conta do que pretendíamos dizer.

Viver em cooperação. Trabalhar em cooperativa. Experiência profissional distinta de qualquer outra. Espelho muito particular para qualquer eu que ante ele venha a se descobrir.

Quem coopera dá primazia ao que é comum. Experiência na qual o outro cooperado está sempre do mesmo lado. No lugar de jogar a luz sobre suas fragilidades, tenta reduzi-las. Ou eliminá-las. Sabe do que o outro é capaz, o que faz de melhor, e o coloca em condições de êxito, de triunfo.

Um mundo de solidariedade. Em que as pretensões de cada qual encontram-se vinculadas entre si, de modo a dispô-los inclinados no mesmo sentido e direção. Um agenciamento positivo de egoísmos em que os desempenhos individuais só serão entendidos por vitoriosos em face do sucesso do coletivo.

* * *

Eis o mundo de cooperação no qual cada um poderá vir a ser estimulado. Experimentar sensações. E descobrir-se.

Que a cooperativa seja esse espelho – entre tantos outros possíveis – e que possamos nos descobrir menos miúdos pela obsessão com a própria comodidade e mais dignos na intransigente busca do bem comum.